비전공자를 위한

AWS 클라우드와 네트워크

비전공자를 위한 AWS 클라우드와 네트워크

발 행 | 2024년 3월 13일
저 자 | 백지석
펴낸이 | 한건희
펴낸곳 | 주식회사 부크크
출판사등록 | 2014.07.15.(제2014-16호)
주 소 | 서울특별시 금천구 가산디지털1로 119 SK트윈타워 A동 305호
전 화 | 1670-8316
이메일 | info@bookk.co.kr

ISBN | 979-11-410-7626-9

www.bookk.co.kr

AWS 클라우드와 네트워크

백지석 지음

CONTENTS

Chapter 3 네트워크&보안

저자의 말

클라우드와 네트워크를 배우고 싶은 비전공자들을 위한 책입니다.

비전공자로 IT산업에 뛰어들어 많은 강의와 책을 읽었습니다.
하지만 비전공자를 위한 컨텐츠가 많지 않아 비전공자들이 클라우드와 네트워크를 이해하기에는 쉽지 않았습니다.
클라우드와 네트워크 보안 산업에 몸담으며 비전공자 시각으로 이해했던 내용들을 정리하였습니다.
각 개념에 대해서 심도 있게 다루지 않고, 개념과 원리이해에 초점을 맞춰 작성하였습니다.
이 책을 통해 많은 비전공자와 해당 산업에 관해 관심 있으신 분들에게 도움이 되었으면 좋겠습니다.
클라우드를 이해하기 위한 기본적인 컴퓨팅 지식과 네트워크 그리고 보안에 대해 다뤘습니다. 이 책을 읽으시고 클라우드를 이해하는 데 도움이 되었으면 좋겠습니다.

Chapter 1 컴퓨팅

1. 컴퓨터의 네 가지 부품

클라우드와 네트워크를 이해하기에 앞서 기본적인 컴퓨팅에 대해 이해할 필요가 있다.

컴퓨터는 기본적으로 CPU, 메모리, 보조기억장치, 입출력장치 4 가지로 이루어져 있다.

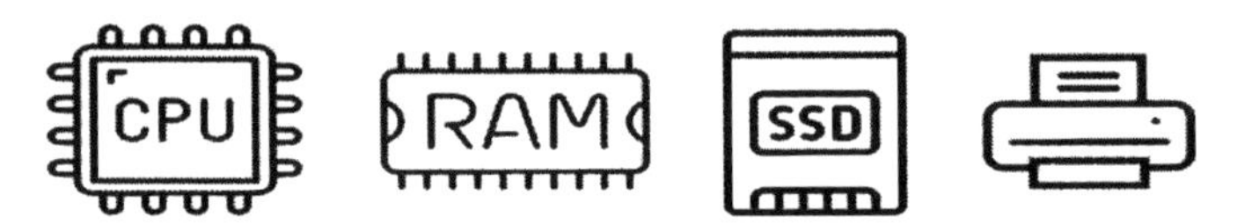

컴퓨터구조: CPU, 메모리, 보조기억장치, 입출력장치

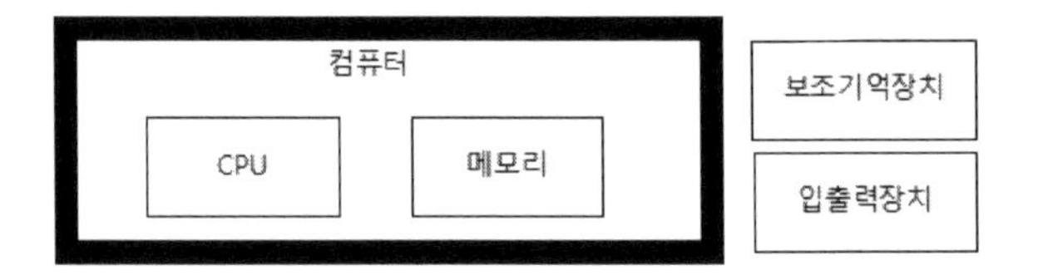

CPU: **컴퓨터의 두뇌**, 메모리에 저장된 값을 읽고, 해석하고, 실행할 수 있다.

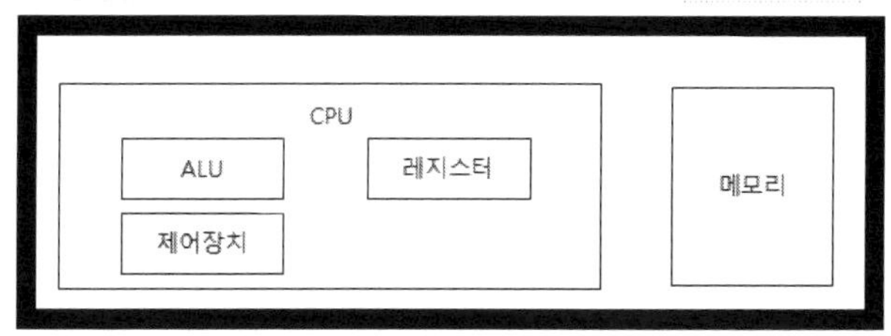

CPU는 ALU, 레지스터, 제어장치 3가지로 이루어져 있다.

ALU(Arithmetic Logic Unit) 산술 논리 장치. **계산기**라고 생각하면 쉽다.

레지스터: 레지스터(Registers)는 CPU 내부에 있는 고속 메모리로, 임시 데이터를 저장하고 처리하는 데 사용되는 작은 임시 저장장치. **메모리에서 값을 가져올 수 있다.**

제어장치: 제어장치(Control Unit)는 **명령어 해석과 실행**을 한다. 명령을 이해하고, 어떤 작업을 하고, 어떤 순서로 할지 결정한다.

작동순서:

1. 제어장치가 메모리에 전기신호를 보냄
2. 메모리에서 레지스터로 불러온 후
3. ALU로 계산한다.

RAM **메모리:** 실행되고 있는 프로그램의 명령어 **데이터를 저장**. RAM으로 불린다.

저장	1번지
+, 6번지,5번지	2번지
-, 6번지,4번지	3번지
100	4번지
200	5번지
300	6번지
	7번지

보조기억장치: 컴퓨터에서 **데이터를 장기적으로 저장**하고 보관한다.

주 기억장치(메모리)와는 달리 보조 기억장치는 데이터를 영구적으로 보관한다.

보조기억장치의 종류는 하드 디스크 드라이브(HDD), 솔리드 스테이트 드라이브(SSD), USB 플래시 드라이브, 광학 디스크가 있다.

입출력장치: 입출력장치는 컴퓨터와 외부 세계 간에 데이터를 주고받는 데 사용되는 장치 예를 들면 키보드, 마우스, 모니터, 프린터, 스피커가 있다.

2. 운영체제

운영체제(Operating System, OS)는 하드웨어와 응용 소프트웨어 간의 인터페이스를 제공 및 시스템의 자원을 효율적으로 관리한다.

운영체제의 주요 기능

1. **자원 관리**: 운영체제는 컴퓨터의 하드웨어 자원을 관리. CPU, 메모리, 입출력장치 등의 자원을 효율적으로 할당하고 조정하여 여러 프로그램이 동시에 실행할 수 있게 한다.

2. **프로세스 관리**: 운영체제는 프로세스를 생성, 중지, 일시 중단 및 스케줄링하여 CPU의 활용을 최적화한다.

3. **메모리 관리**: 프로세스가 필요로 하는 메모리 공간을 할당하고, 메모리의 공유 및 보호를 관리한다.

4. **파일 시스템 관리**: 운영체제는 파일을 생성, 읽기, 쓰기, 삭제 등의 작업을 관리한다.

5. **입출력 관리**: 운영체제는 입출력장치와의 효율적인 통신을 관리한다.

운영체제는 Windows, macOS, Linux 등이 있으며, 각각 다양한 기능과 특징을 갖고 있다.

OS의 구성요소

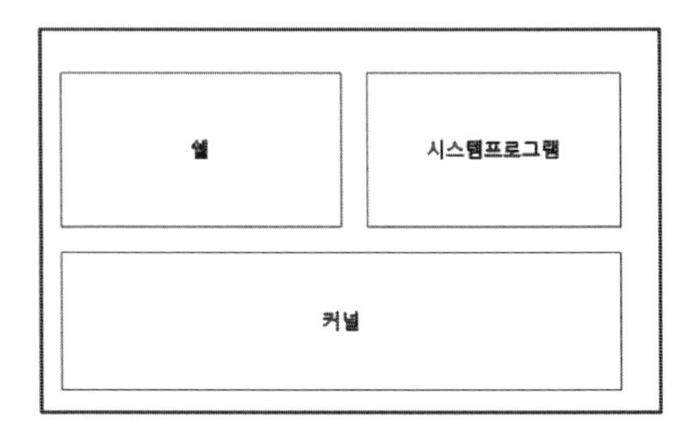

커널:하드웨어 요소들을 OS 최하단, 기계를(CPU, Memory,Device 등) 관리

쉘:사용자 인터페이스

시스템프로그램: 메모장, 그림판 등 기초적인 프로그램

*Linux는 커널만 만들고 그 위에 쉘,시스템프로그램을 오픈소스로 가져다가 써서 다른 브랜드들을 만듦. 예를 들면 Cent OS, Ubuntu, Suse가 있다.

3. 서버에 대한 이해

서버(Server)는 네트워크를 통해 클라이언트로부터 요청을 받아 처리하고, 그 결과를 클라이언트에게 제공하는 컴퓨터 시스템이다.

서버 하드웨어는 Main Frame, Unix, x86이 있다.

메인프레임: 금융권에서 일체형(서버, 네트워크)으로 씀. 가격이 매우 비쌈, 전용 CPU를 사용한다.

유닉스: 메인프레임의 경량화 버전, 가격이 매우 비쌈, 전용 CPU 사용한다.

X86: 가장 많이 사용하는 서버 계열(리눅스 등)

*회사에서 사용하는 서버 대부분은 x86이라고 보면 된다.

대표적인 웹서버, WAS, DB 서버에 대해 알아보자

서버 종류

웹서버(Web Server)

웹서버는 클라이언트로부터 HTTP 요청을 받아들이고 요청에 대한 정적인 웹 페이지나 다른 리소스를 제공한다.

웹서버는 정적 파일(HTML, CSS, 이미지 등)을 나타내고 동적 컨텐츠를 생성하기 위해 다른 서버나 애플리케이션 서버(WAS)와 통신한다.

웹서버 종류: Apache HTTP Server, Nginx, Microsoft IIS 등

WAS(Web Application Server)

WAS는 동적인 웹 애플리케이션을 실행하는 서버. 클라이언트의 요청에 따라 데이터베이스와 상호작용 동적인 콘텐츠를 생성한다.

WAS 종류: Apache Tomcat, IBM WebSphere, Oracle WebLogic, 제우스 등

DB 서버(Database Server)

DB 서버는 데이터베이스 관리 시스템(DBMS)을 실행하는 서버. 데이터베이스 서버는 데이터의 저장, 검색, 갱신, 삭제 등을 처리, 다수의 사용자가 동시에 데이터베이스에 접근할 수 있도록 지원한다.

DB 서버 종류: MySQL,Oracle Database, MongoDB(비관계형)

프록시 서버(Proxy Server)

프록시 서버는 클라이언트와 서버 간의 중간에서 동작하여 클라이언트의 요청을 대신 수행하는 서버.

클라이언트가 웹 페이지를 요청하면, 프록시 서버가 해당 웹 페이지를 대신 가져오고 클라이언트에게 전달한다.

*프록시 서버의 주요 이점

보안: 프록시 서버는 클라이언트와 웹서버 간의 중개 역할을 하기 때문에, 외부로부터의 직접적인 접근을 차단하고 보안을 강화할 수 있다. 또한 방화벽과 함께 사용되어 악의적인 트래픽을 필터링할 수 있다. 그리고 허용된 사용자만이 웹서버에 접근할 수 있도록 제어 가다.

트래픽 제어: 프록시 서버는 웹 페이지 요청 및 응답을 중개하기 때문에 네트워크 트래픽을 관리하고 제어할 수 있다.

캐싱: 프록시 서버는 이전에 요청된 데이터를 캐싱하여 같은 데이터에 대한 반복적인 요청에 대한 처리 속도를 향상할 수 있다.

로깅: 프록시 서버는 사용자의 웹 활동을 모니터링하고 기록할 수 있음. 또한 로그를 생성하여 이벤트를 추적할 수 있다.

4. 웹 개발에 사용되는 언어

HTML, CSS, JavaScript는 웹 개발에서 사용되는 언어다.

HTML (HyperText Markup Language)

HTML은 웹 페이지의 구조와 내용을 정의하는 마크업 언어. HTML을 사용하여 텍스트, 이미지, 비디오, 링크 등의 요소를 구성할 수 있다.

CSS (Cascading Style Sheets)

CSS는 웹 페이지의 스타일과 레이아웃을 정의한 언어. HTML 요소에 대한 디자인, 색상, 폰트 등의 스타일을 지정할 수 있다.

JavaScript

JavaScript는 웹 페이지의 동적인 기능을 구현하는 프로그래밍 언어. HTML과 CSS로는 정적 콘텐츠만 제공되지만, JavaScript를 사용하여 유저와 상호작용하고, 웹 페이지를 동적으로 만들 수 있다.

현대의 웹 개발에서는 이 세 가지 기술을 조합하여 풍부하고 동적인 웹 애플리케이션을 개발하는 것이 일반적이다.

5. 스토리지에 대한 이해

스토리지는 데이터를 보관하고 관리하는데 사용되는 기술이나 장치. 스토리지는 다양한 종류와 형태로 제공된다. 주요 스토리지 종류에 대해 알아보자.

내부 스토리지

내부 스토리지는 컴퓨터나 서버에 내장된 저장 장치.HDD나 SSD가 포함된다.

주로 운영체제, 응용프로그램 및 데이터를 저장하는 데 사용한다.

외부 스토리지

외부 스토리지는 컴퓨터나 서버 외부에 연결된 저장 장치. USB나 디스크가 포함된다.

주로 데이터 백업 및 추가 저장 공간 확보를 위해 사용한다.

네트워크 스토리지

네트워크 스토리지는 네트워크를 통해 접근 가능한 저장 장치.

네트워크 연결형 스토리지(NAS)와 스토리지 영역 네트워크(SAN)가 포함된다.

주로 파일 공유, 백업, 데이터 공유, 가상화 등에 사용한다.

NAS는 파일 수준의 액세스를 제공하고, SAN은 블록 수준의 액세스를 제공한다.

*네트워크 스토리지 종류

DAS (Direct-Attached Storage)

DAS는 컴퓨터나 서버에 **직접 연결**된 스토리지 장치.

DAS는 해당 서버에만 접근할 수 있으며, 다른 시스템과 공유되지 않는다.

NAS (Network-Attached Storage)

NAS는 **네트워크에 연결**된 스토리지 장치를 의미한다.

일반적으로 파일 서버로 사용되며, 여러 클라이언트에게 파일 서비스를 제공.

NAS는 파일 수준의 액세스를 제공

일반적으로 소규모에서 중규모까지의 기업이나 가정에서 사용된다.

SAN (Storage Area Network)

SAN은 고속 데이터전송을 위한 **전용 네트워크**를 사용한 스토리지 장치. 대규모 기업 및 데이터 센터에서 주로 사용한다.

클라우드 스토리지

클라우드 스토리지는 인터넷을 통해 데이터를 저장하고 관리하는 서비스다.

AWS의 S3가 포함.

6. 데이터베이스에 대한 이해

데이터베이스는 구조화된 데이터의 집합. 여러 사용자가 동시에 접근하여 데이터를 저장, 검색, 수정, 삭제할 수 있는 기능을 제공하는 시스템이다.

관계형데이터베이스(Relational Database)

관계형데이터베이스는 **데이터를 테이블의 형태로 구성.** 엑셀을 생각하면 쉽다.

테이블 간에는 관계가 설정되고, 이를 통해 데이터 사이의 관계를 표현.

대표적인 관계형 데이터베이스 관리 시스템에는, MySQL, PostgreSQL, SQL Server가 있다.

관계형데이터베이스는 정확하고 일관된 데이터를 저장할 수 있다.

비관계형 데이터베이스(Non-relational Database)

비관계형 데이터베이스는 관계형데**이터베이스의 구조를 따르지 않는 데이터베이스**.

주로 JSON, XML 등의 형식으로 데이터를 저장. 키-값 형태의 데이터 구조를 사용한다.

대규모 데이터의 저장 및 처리, 고속 데이터 입출력, 분산 데이터 처리 등의 요구 사항에 적합하다.

대표적인 비관계형 데이터베이스에는 MongoDB, Redis, 등이 있다.

Chapter 2 클라우드

1. 클라우드란?

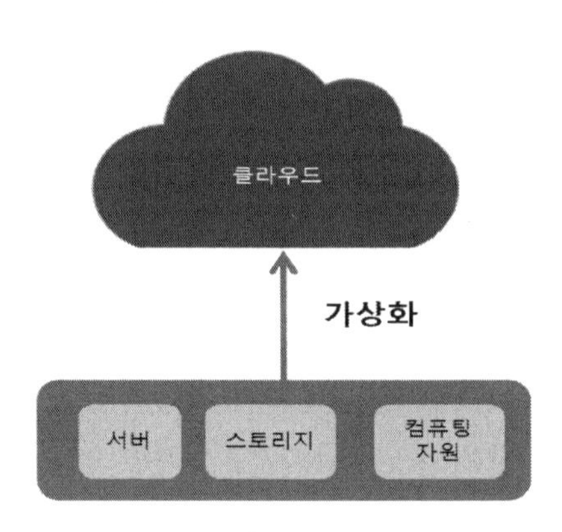

클라우드란 기본적으로 인터넷 기반의 컴퓨팅을 말한다.

좀 더 자세히는, 클라우드 제공자가 CPU,메모리,디스크 같은 물리적 자원 구비하고 가상화 한 뒤, 이 가상화 한 걸 사용자들이 네트워크로 접근해 사용하는 걸 클라우드라고 할 수 있다.

그리고 6가지 특성을 가진 것을 클라우드라고 할 수 있다.

첫째는, 'On Demand Self Service'로 사용자가 원할 때 필요한 서비스를 즉시 이용할 수 있어야 한다.

둘째는, 'Broad Network Access"로 데스크톱,노트북, 핸드폰 같은 다양한 디바이스로 이용이 가능해야 한다.

셋째는, 'Resource Pooling'으로 자원을 할당하고 사용이 끝나면 반환되어야 한다.

넷째는, 'Rapid Elasticity'로 신속한 탄력성이라는 뜻인데, 사용자의 요구에 따라 시스템의 확장 및 축소를 '즉시' 수행 해야 한다.

예를 들어 어떠한 이벤트로 인하여 특정 시간에 트래픽이 몰리게 되면 시스템을 확장하고 그 트래픽의 몰림이 끝나면 시스템을 즉시 축소를 할 수 있어야 한다.

다섯 번째는 'Measured Service'로 사용한 만큼 내는 종량제 방식이어야 합니다. 사용 시간만큼만 비용을 내는 걸 예로 들 수 있다.

여섯 번째는, 'Multi tenancy'로 여러 사용자가 시스템자원을 공유할 수 있고 액세스할 수 있어야 한다.

이 6가지를 충족하는 걸 클라우드라고 정의할 수 있다.

2. 클라우드 제공 형태

구분	설명
퍼블릭클라우드	인터넷을 통해 다수의 사용자가 접근 가능한 클라우드
프라이빗 클라우드	전용 클라우드
하이브리드 클라우드	퍼블릭+프라이빗
멀티 클라우드	2개 이상의 퍼블릭클라우드

이러한 클라우드를 제공하는 형태도 여러 가지가 있다.

퍼블릭클라우드는 온라인상에 있는 외부 데이터 센터에서 컴퓨팅 서비스를 제공하는 것으로, 인터넷을 통해 다수의 사용자가 접근 가능해야 한다.

퍼블릭클라우드는 대표적으로 AWS, Azure, GCP가 있다.

프라이빗 클라우드는 단일 조직 전용 클라우드 컴퓨팅 환경이다. 일반적으로 내부 데이터 센터에서 관리되고, 보안성이 높은 민감한 정보를 보호하면서도 클라우드의 유연성과 효율성을 활용할 수 있다.

프라이빗 클라우드는 두 가지로 나뉘는데 제3자 클라우드 업체가 제공하는 호스팅 된 프라이빗 클라우드가 있고 조직이 내부적으로 Vmware나 OpenStack 같은 가상화 플랫폼을 사용하여 구현한 내부 프라이빗 클라우드가 있다.

하이브리드 클라우드는 퍼블릭클라우드와 프라이빗 클라우드를 결합 또는 퍼블릭클라우드와 온프레미스를 결합하여 사용하는 환경을 말한다.

이미 기업 자체에 데이터 센터가 있는 경우 클라우드 사용을 위해 전부 퍼블릭클라우드로 전환하는 건 비효율적이니 하이브리드 클라우드를 사용한다. 또는 보안이 중요한 작업은 내부 데이터 센터의 프라이빗 클라우드에서, 나머지는 퍼블릭클라우드에서 사용한다.

멀티 클라우드는 복수의 퍼블릭클라우드를 사용하는 걸 얘기한다. AWS와 Azure를 동시에 사용하는 걸 예로 들 수 있다.

각 퍼블릭클라우드 제공 사업자마다 장점이 있다. 예를 들면 AWS는 서비스 범위가 매우 넓고, MS는 타 MS 제품과 호환이 잘되며, GCP는 빅데이터 분야에 강점이 있어서 해당 장점에 맞게끔 멀티 클라우드를 사용할 수 있다.

3. 클라우드 서비스 유형

클라우드 서비스 유형은 크게 3가지로 나뉜다.

IaaS는 기존의 하드웨어 인프라를 가상화하여 서비스로 제공해주는 것으로 서버, 네트워크, 스토리지를 가상화하여 고객에게 제공한다.

이렇게 받으면 고객은 그 위의 OS, 미들웨어, 데이터와 같은 자원들을 관리해야 한다.

고객은 IaaS 사용을 통해 컴퓨터 리소스를 구매하지 않고 클라우드를 통해 얻을 수 있다.

PaaS는 개발 플랫폼을 서비스로 제공해주는 것으로, 개발자가

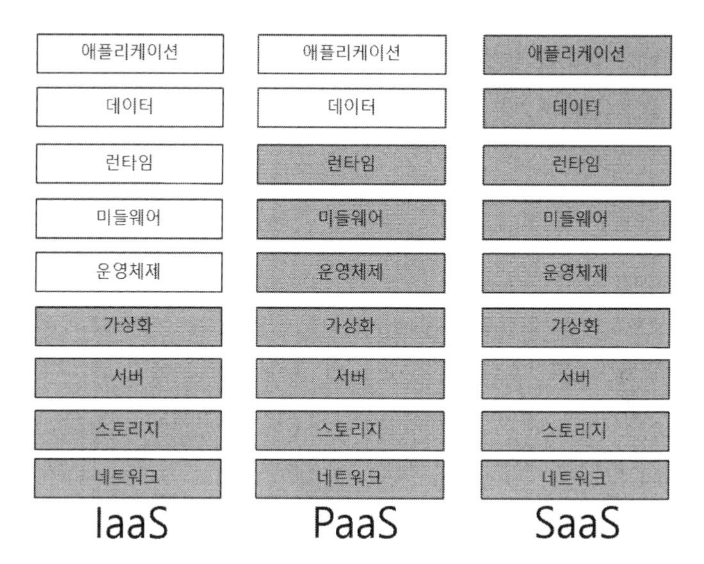

OS, 미들웨어 또는 인프라에 대한 관리 없이 소프트웨어 개발에 집중할 수 있다.

즉, PaaS를 사용하면 개발에 필요한 환경만 선택하고 다른 걸 구성할 필요 없이 개발에만 집중할 수 있다.

SaaS는 소프트웨어 서비스다. 개발자들은 IaaS나 PaaS를 통해 SaaS를 개발하여 End-user들에게 소프트웨어를 판매할 수 있다.

대표적으로는 세일즈포스, 더존비즈온 같은 회사들이 있다.

IaaS, PaaS, SaaS에 대한 비교를 쉽게 하기 위해서는 순대국밥을 예로 들 수 있다. 돼지고기 따로 부추 따로 다대기 따로 있는 것이 IaaS다

IaaS 고객은 돼지고기, 부추,다대기로 알아서 요리를 해야 한다. PaaS는 돼지고기 부추 다대기가 들어가 있는 밀키트다. 요리에만 집중할 수 있도록 밀키트에 넣어둔 것이 PaaS다.

그리고 바로 먹으면 되는, 끓고 있는 순대국밥이 SaaS다.

4. 클라우드 사업자

해외

	AWS	Azure	GCP
시작 연도	2006	2010	2011
시장 점유율	약30%	약20%	약10%
사용자 친화성	보통	높음	매우 높음
서비스 범위	가장 넓음	넓음	상대적 좁음
장점	광범위한 서비스 많은 예시	다른 MS제품들과의 호환성	머신러닝,빅데이터 분야에 강점

국내

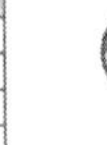

케이티클라우드	네이버클라우드	가비아
NHN클라우드	스마일서브	삼성SDS
더존비즈온	엘지헬로비전	카카오엔터프라이즈

이러한 클라우드 서비스를 하는 회사를 클라우드 서비스 프로바이더 CSP라고 부르고

해외에는 대표적으로 AWS, MS의 Azure, 구글의 GCP가 있다.

AWS는 클라우드 시장의 선두주자로 가장 높은 점유율과 가장 많은 서비스를 하고 있으며 국내에서도 점유율 1등이다.

국내에도 네이버클라우드,케이티클라우드,NHN클라우드 같은 CSP가 있다.

그리고 KISA에서 주관하는 CSAP라는 클라우드 서비스 보안인증을 취득해야 국내 공공기관에 클라우드 서비스를 공급할 수 있다.

이처럼 다양한 CSP를 통해서 클라우드 서비스를 사용할 수 있다.

5. 클라우드 공동책임모델

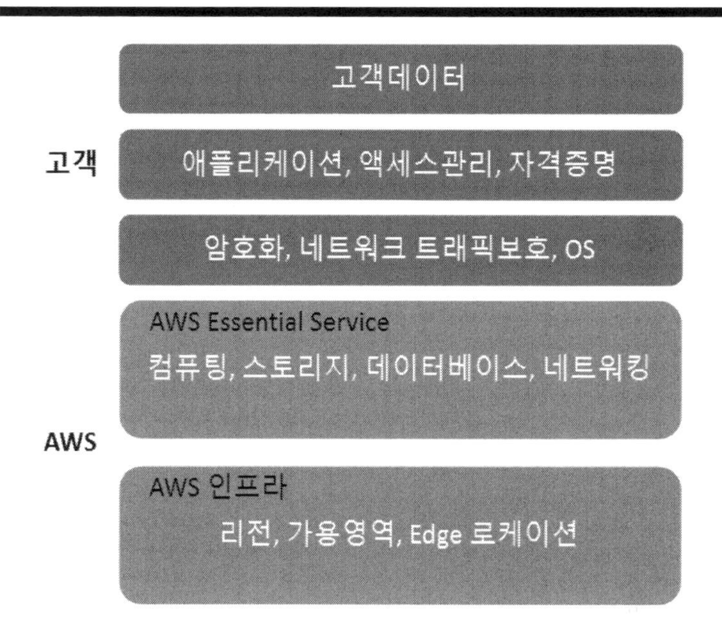

클라우드에서는 보안에 관해 공동책임모델을 가져가고 있다.

CSP는 자신의 인프라를 사용한다고 해서 모든 보안 책임을 가져가지 않는다.

CSP는 스토리지,리전, 데이터와 같은 '클라우드 인프라'의 보안에 책임이 있고

고객은 액세스 관리,방화벽 구성,데이터 등 그 '클라우드 인프라' 위에서 돌아가는 것들의 보안 책임을 가지고 있다.

따라서 고객은 자신이 책임져야 할 보안을 위해 보안 전문회사 솔루션을 채택해 사용하고 있다.

사용자의 책임(클라우드 내부)

① 사용자 데이터
② 사용자 애플리케이션, 액세스 관리
③ 운영체제, 네트워크, 액세스 구성
④ 데이터 암호화

AWS 책임(클라우드 자체)
① 하드웨어와 네트워크 유지보수
② AWS 글로벌 인프라
③ 관리형 서비스

보안에 대한 지원 플랜

기본플랜
① 모든 계정에 무료 제공
② 문서, 백서, 지원 포럼 고객서비스에 액세스
③ 청구 및 계정지원

개발자플랜
① 월 $29
②계정소유자 한 명만 일반적 지침&시스템 손상에 관해 문의
③클라우드 지원 담당자가 응답

비즈니스플랜
①월 $100 이상
②모두 문의 가능
③AWS솔루션스 아키텍트의 지원, 전담 기술지원 관리자 지원, 컨시어지 지원 추가.

6. 가상화

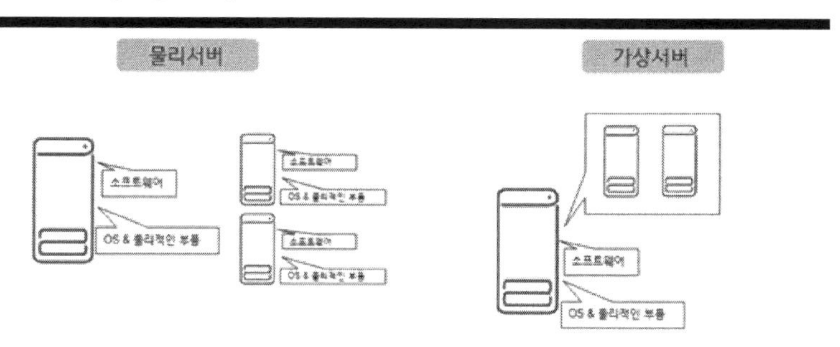

클라우드를 지탱하는 데 가장 중요한 기술은 가상화다.

기존 물리 서버 환경에서는 서버를 늘리기 위해서는 물리적인 서버를 더 늘려야 했다라고 하면 가상서버 환경에서는 하나의 하드웨어에서도 논리적으로 여러 서버를 구축하여 사용할 수 있다.

좀 더 자세히는, 컴퓨터가 어떤 작업을 하려면 물리적인 메모리와 하드디스크, OS 등 다양한 부품이 필요한데, 이를 소프트웨어로 대체한 것이 가상화 기술이다.

서버를 예로 들자면, 물리 서버 1대 위에 게스트가 되는 서버 여러 대를 가상으로 생성한다. 본래 서버에 필요한 물리적인 부품을 가상으로 생성하여 가상서버로 만드는 것이다.

가상서버에 할당된 메모리와 스토리지는 자유롭게 늘리거나 줄일 수 있으며, 가상서버를 통해 물리 서버의 리소스를 효율적으로 사용할 수 있다.

7. 컨테이너

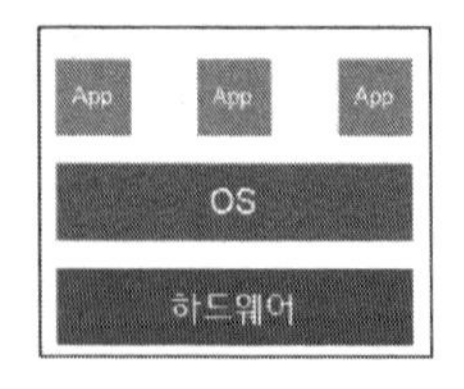

전통방식

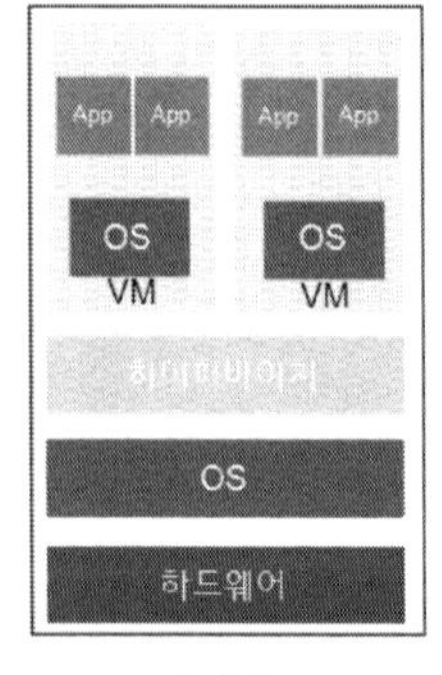

가상화

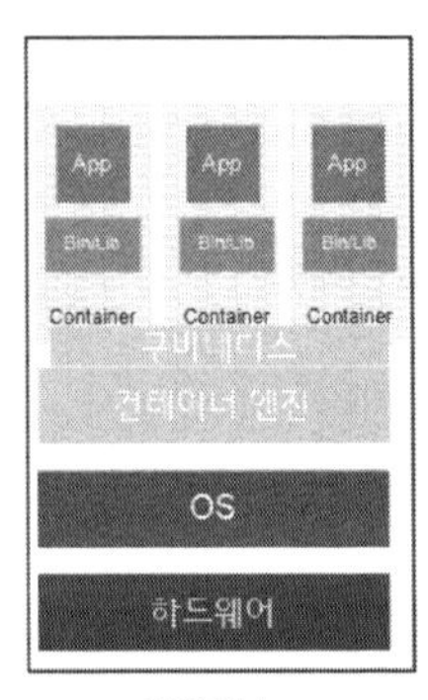

컨테이너

왼쪽에 있는 건 전통 방식의 서버다. 하나의 하드웨어의 하나의 OS 그리고 OS 위에 구동하고 싶은 애플리케이션을 구동하는 방식이다. 가운데 있는 건 가상화인데 OS 위에 Xen이나 KVM 같은 하이퍼바이저, 가상화 도구를 사용하여 가상 머신을 만들 수 있다. 가상 머신에는 사용하고 싶은 OS를 올려서 사용할 수 있고 이러한 가상 머신을 여러 개 올려서 Host OS의 리소스를 효율적으로 사용할 수 있다. 가상서버들이 완전히 분리되어 있으나, 가상서버마다 OS가 필요하므로 하드웨어 리소스 소비량이 많아 느린 단점이 있다. 이러한 단점을 보완하기 위해 생긴게 컨테이너다. 대표적으로는 도커가 있다. 컨테이너는 하나의 호스트 OS에서 라이브러리를 통해 여러 개의 OS를 동시에 사용할 수 있다. 따라서 Guest OS가 필요하지 않아 기존에 가상서버가 가지고 있던 문제점, 하드웨어 리소스 소비량을 줄여 빠른 장점이 있다. 다른 장점으로는 이식성으로 컨테이너는 다른 컨테이너로 이식하기 쉽다.

하지만 호스트OS 커널을 공유하므로, 호스트OS에 문제가 생겼을 경우 전체 컨테이너에 영향이 갈 수 있다. 따라서 하나의 컨테이너가 공격받으면 다른 컨테이너도 위험에 노출되어서 컨테이너 보안의 중요성은 더 커졌다. 그리고 이런 복수의 컨테이너를 관리해주는 걸 쿠버네티스라고 한다. 이미지를 하나에 컨테이너에 띄우고 실행하는 건 도커이고 쿠버네티스는 '0월 0

시에 5개의 컨테이너를 자동으로 생성해야지'와 같이 여러 개의 컨테이너를 관리하는 것이다.

8. 클라우드 네이티브

마이크로서비스 (MSA) 독립적인 실행, 배포가 가능	**컨테이너** 경량화된 컨테이너 단위 확장
데브옵스 개발팀&운영팀 간 협업 프로세스	**CI/CD** 소규모 개발팀별 독립,자율적 서비스 운영

클라우드네이티브란 클라우드 이점을 최대한 활용하여 애플리케이션을 실행하는 방식이다.

클라우드 네이티브는 4가지 마이크로서비스, 컨테이너, 데브옵스, CI/CD 구성요소를 가지고 있다.

이 네 가지는 요소들은 유기적으로 작용을 한다.

차례차례 설명하겠다.

MSA (Micro Service Architecture)

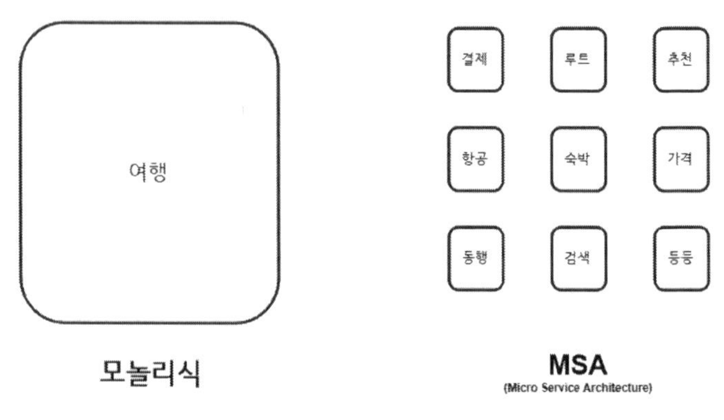

각 기능들이 모여서 하나의 프로젝트를 만듬

작은 서비스 여러 개가 모여서 하나의 시스템을 제공

기존에 개발해오던 방식은 **모놀리식(Monolithic)**의 개발이었다.

요구 사항 -> 분석 -> 설계 -> 개발 -> 테스트 -> 배포 일련의 작업들을 정해진 절차에 따라서 개발하는 워터풀 방식으로 개발되었다. 왼쪽 그림처럼 기능들이 모아 하나의 프로젝트를 만드는 것이 **Monolithic 아키텍처**다. 하지만 한 부분을 수정하려고 하면 전체를 바꿔야 하는 단점이 있다.

MSA란, 위의 오른쪽 그림에서 보듯이 작은 서비스 여러 개가 모여서 하나의 시스템을 제공하는 아키텍처다.

각 서비스를 작게 나누어 독립적으로 배포할 수 있기 때문에 중간에 내용이 변경되더라도 신속하게 반영할 수 있다. 각 서비스는 다른 기술을 사용할 수 있어 개발팀이 적합한 기술을 선택할 수 있습니다. 하나의 서비스가 다운되더라도 전체 서비스에 영향을 끼치지 않으며, 각각의 서비스를 독립적으로 확장이 가능한 장점이 있다.

하지만 각각의 서비스 간 통신 방법이 필요하고 복잡한 단점이 있으며, 서비스 간 API로 호출을 해야 하므로 속도가 느리다는 점도 있다.

컨테이너 (Container)

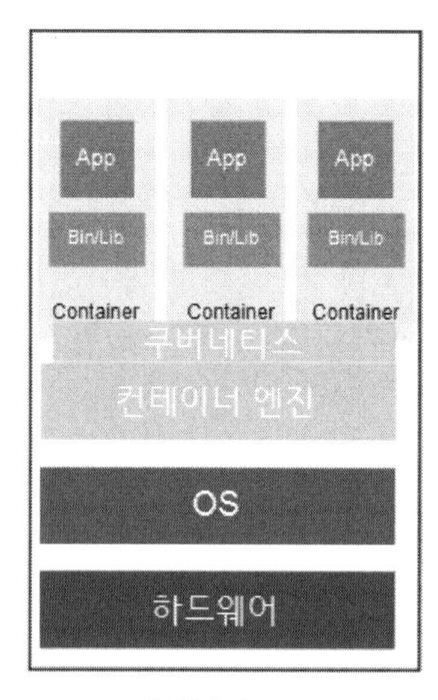

컨테이너

장점	- 하나의 Host OS에서 복수의 OS를 동시에 이용할 수 있음 (Guest OS) - 다른 컨테이너로 복사, 이식할 수 있음
단점	- 하나의 Host OS를 공유하므로 컨테이너 하나가 공격을 받으면 다른 컨테이너도 위험함.

컨테이너는 앞서 가상화 부분에서 설명한 바와 같이 하나의 호스트 OS에서 다양한 OS를 사용할 수 있고, 다른 컨테이너로의 복제성과 이식성이 뛰어난 게 특징이다.

호스트 OS가 Linux라고 하더라도 컨테이너 여러 개를 올려 Window와 Linux 등 다양한 OS를 사용할 수 있다. 또한 컨테이너를 다른 곳에 쉽게 이식할 수 있다.

데브옵스 (DevOps)

DevOps는 Development(개발+테스트) + Operations(운영)의 조합어로 개발과 운영 조직간 협업을 통해 애플리케이션을 신속 개발하고 배포할 수 있다.

DevOps는 소프트웨어 개발 효율성 향상을 목표하는 방식이라고 생각하시면 될 것 같다.

즉, 데브옵스는 '개발과 운영 조직간 협력을 통해 소프트웨어 개발과 배포를 빠르고 효율적으로 수행하자!'라고 하는 방식이다.

CI/CD (Continuous Integration&Deployment)

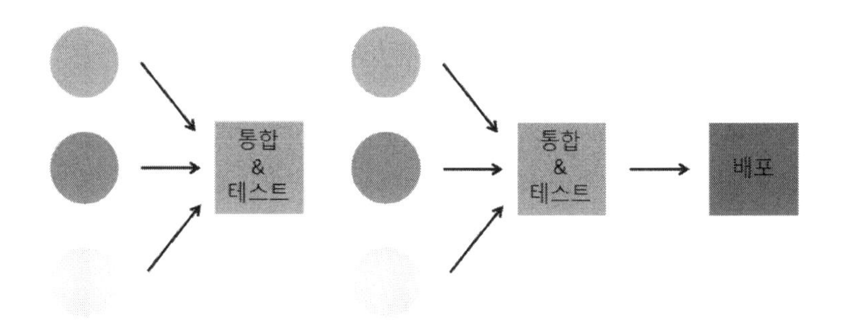

CI/CD는 Continuous Integration 지속적인 통합, Continuous Deployment 지속적인 배포라는 뜻이다.

지속적인 통합이란 여러 명의 개발자가 동시에 작업하고 있는 경우, 코드 변경을 빈번하게 통합하고 테스트하여 오류를 최소화하는 것이다.

전통적인 방식으로는 코드 수정하고 배포하는 데까지 많은 시간이 소요되었지만 CI/CD를 통해 지속적으로 통합·테스트·배포를 하고 이 흐름을 자동화하여 효율적으로 일을 처리할 수 있게 되었다.

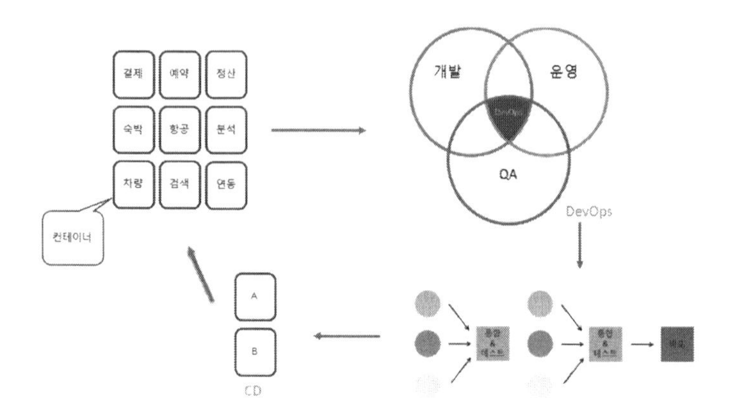

정리하자면, 클라우드 네이티브의 4가지로 구성되어 있고, 이 4 가지는 유기적인 관계를 맺고 있다.

각각의 마이크로서비스를 컨테이너로 구현하여, 개발과 검증, 운영 간 협업을 통해 애자일 방식으로 빠르고 효율적으로 애플리케이션을 개발한다. 그리고 끊임없이 통합하고 검사하고 배포하여 다시 MSA로 배포한다.

이러한 일련의 연속적인 과정을 클라우드 이점을 최대한 활용하여 애플리케이션을 실행하는 방식인 '**클라우드 네이티브**'라고 할 수 있다.

9. AWS 클라우드 서비스

그럼 AWS의 클라우드 서비스에 대해 알아보자.

위 그림은 AWS에서 제공하는 서비스의 범주다.

컴퓨팅

Elastic Compute Cloud (EC2)

컴퓨터 용량을 제공하는 서비스

가상화 서버. CPU, 메모리, 스토리지, 네트워크 등 클라우드에서 사용할 수 있음. EC2를 구매할 때 컴퓨터를 구매하듯이 사양, OS, 스토리지 등 선택하여 구매할 수 있다. 인스턴스 요금은 크게 아래 3가지로 구분된다.

① 온디멘드 모델 – 시간당 요금. 가장 유연하고 비쌈 ② 예약 인스턴스 – 선결제, 또는 일부 선결제. 1년 또는 3년 기간 약정 ③ 스팟인스턴스- 갑자기 중단돼도 피해가 크지 않는 워크로드 가동할 때. 사용자가 입찰한 요금 이하면 인스턴스를 시작. 시간당 요금이 입찰가보다 높아지면 중지된다.

ELB (Elastic Load Balancing)

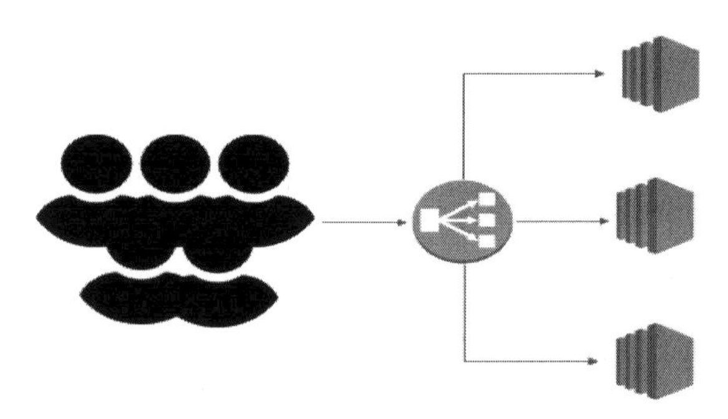

트래픽이 많아지면 여러 서버에 트래픽을 분배한다.

네트워크 트래픽을 여러 대의 웹서버로 전송. 부하 분산 장치다.

ELB는 3가지 종류로 나뉜다.

이름	설명	지원 프로토콜
ALB	Application Load Balancer	http, https
NLB	Network Load Balancer	TCP, TLS
CLB	Classic Load Balancer	TCP, TLS, http, https, ssl

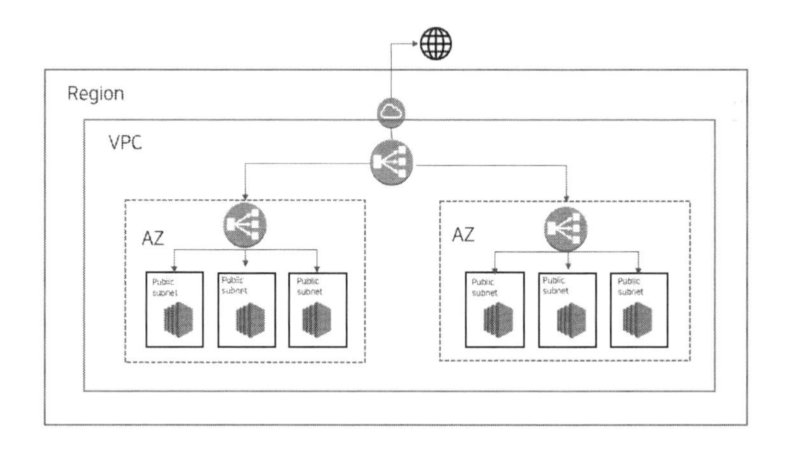

Auto Scaling

자동으로 인스턴스를 확장 또는 축소된다.
(트래픽이 늘어나면 인스턴스를 확장, 줄어들면 축소)
Scale Out은 인스턴스를 늘리는 것이고 (반대는 Scale In)
Scale Up은 인스턴스의 용량을 올리는 것 (반대는 Scale down)
기본적으로 Auto scaling은 무료이지만 CloudWatch랑 사용하면 유료다. 보통 오토스케일링 그룹을 설정하고 CloudWatch로 모니터링 후 서버를 늘리거나 줄여야 하면 (CPU 사용률 등으로 판단) 오토스케일링이 작동하여 EC2를 늘릴 수 있는 방식이다.

Lambda
서버리스 애플리케이션 아키텍처
소비자 요청 같은 이벤트가 있어야 미리 정의된 코드 기반 작업을 작동한다. 최대 15분의 작업이 완료되면 Lamda는 끝나고 모든 리소스가 자동 종료한다.
서버리스의 대표제품인데 서버가 필요 없다는 것이 아닌 고객이 서버를 신경 쓸 필요 없다는 의미의 서버리스이다.
미리 코드만 작성해두면 정해진 이벤트에 따라 작업을 완료시키는 방식이다.

Elastic Beanstalk
애플리케이션을 신속하게 배포하고 관리 할 수 있다.
Elastic Beanstalk에서 용량,로드밸런싱, 애플리케이션 모니터링에 대해 세부 정보를 자동처리 한다. 애플리케이션 코드를 입력하는 것 외에 아무것도 할 필요가 없다. 모든 서비스를 자동으로 시작하고 관리할 수 있다.

AMI (Amazon Machine Image)
EC2 생성에 필요한 S/W정보를 담고 있는 탬플릿이다.
AMI를 설정하면 설정한 환경을 갖는 인스턴스를 몇 번의 클릭만으로 생성할 수 있다. 즉 AMI로 같은 설정의 인스턴스를 계속 생성할 수 있음.

스토리지

Simple Storage Service(S3)

무제한으로 저장이 가능한 스토리지 서비스.
내구성 99.999999999%, 가용성(중지 없이 동작하는 것) 99.9%를 보장한다. 데이터를 저장할 뿐만 아니라 정적 데이터의 웹서버 역할도 수행한다. 파일 단위의 접근을 지원(EBS는 블록 단위) 그리고 EBS의 스냅샷을 저장하여 백업에도 활용할 수 있다.
S3의 클래스는 4가지로 나뉜다.

NO	이름	설명
1	S3 Standard	액세스 빈도 높고 복수의 Zone에 저장
2	S3 Standard - Infrequent Access)	액세스 빈도 낮고 복수의 Zone에 저장
3	S3 Standard One Zone - Infrequent Access)	액세스 빈도 낮고 하나의 Zone에 저장
4	Glacier	데이터 백업용 스토리지

S3는 여러 개의 버킷으로 이루어져 있고 버킷에 여러 개의 오브젝트를 넣을 수 있다.

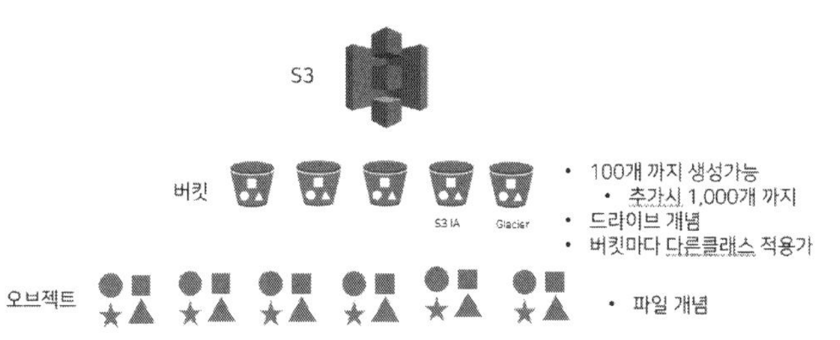

또한 버킷 단위로 정책설정이 가능하고 권한 설정도 가능하다.
또한 정적인 데이터로의 웹서버로 활용할 수 있다.

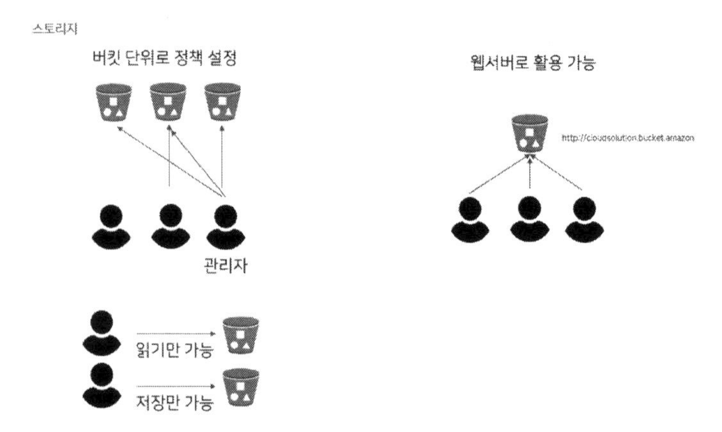

Elastic Block Store(EBS)

EC2 인스턴스 OS와 작업 데이터를 호스팅하는 데이터 드라이브 EC2와 조합하여 사용하는 스토리지다. SSD, HDD 정도로 생각하면 쉽다. (정확히는 SSD, HDD가 아니다)
EBS는 스냅샷 기능이 있어 백업데이터를 S3로 저장한다.

Storage Gateway

AWS 스토리지를 온프레미스처럼 사용하는 하이브리드 스토리지 시스템.
AWS storage Gateway를 통해 온프레미스에서 AWS의 S3 같은 스토리지 서비스를 사용할 수 있다.

AWS Snowball

테라바이트, 페타바이트 크기 데이터를 AWS로 이동할 때 사용하는 장치.

네트워크

VPC

기존 네트워크와 아주 유사한 가상네트워크 (전용의 가상네트워크)
격리된 네트워크 공간을 할당하고 거기서 AWS 서비스를 사용할 수 있는 네트워크.
AWS에서 VPC로 다른 가상네트워크와 분리. EC2는 VPC에서 실행할 수 있다.
VPC를 생성한 후 서브넷,EC2를 추가 할 수 있다.
EC2나 RDS인스턴스를 호스팅하기 위해 설계, 인스턴스의 인바운드,아웃바운드 네트워크 액세스나 인스턴스 간 네트워크 액세스를 제어한다.

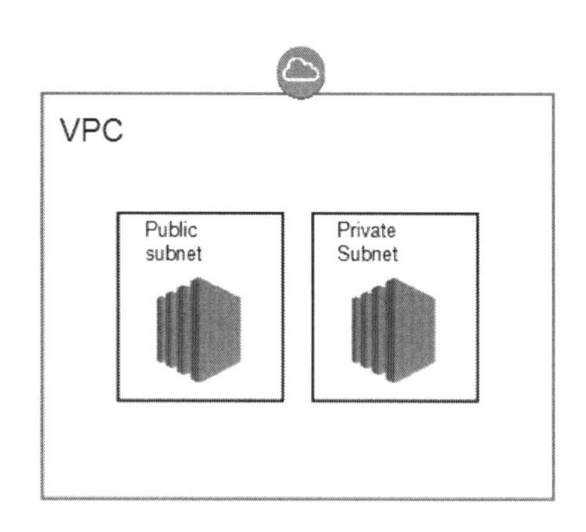

서브넷

VPC 내 논리 컨테이너로서 EC2 인스턴스를 배치하는 장소. 서브넷을 통해 인스턴스를 서로 격리하고 트래픽 제어, 인스턴스를 기능별로 모음. 하나의 가용영역 내에서만 존재 할 수 있다.

탄력적 네트워크 인터페이스(ENI)
탄력적 네트워크 인터페이스(ENI)를 사용하면 인스턴스가 AWS 서비스, 다른 인스턴스, 온프레미스 서버, 인터넷 등 다른 네트워크 리소스와 통신할 수 있다.

인터넷 게이트웨이
퍼블릭 IP를 할당받은 인스턴스가 인터넷과 연결돼서 인터넷으로부터 요청을 수신하는 기능을 제공. 인터넷 게이트웨이를 통해 VPC와 연결한다.

보안그룹
방화벽과 같은 기능을 제공, 인스턴스의 ENI에서 송수신되는 트래픽을 허가해서 인스턴스를 오가는 트래픽을 제어. 모든 ENI에는 최소한 하나의 보안그룹이 연결되어야 한다.

퍼블릭 IP주소
인스턴스 간 프라이빗 IP주소로 통신 해서 외부에서 직접 인터넷을 연결하려면 인스턴스에 퍼블릭 IP주소가 필요하다.

탄력적 IP주소 (Elastic IP)
사용자가 요청하면 계정에 할당되는 퍼블릭 IP주소다.

VPC Peering Connection
두 VPC간의 연결. 즉 다른 VPC 간 통신이 가능하다.

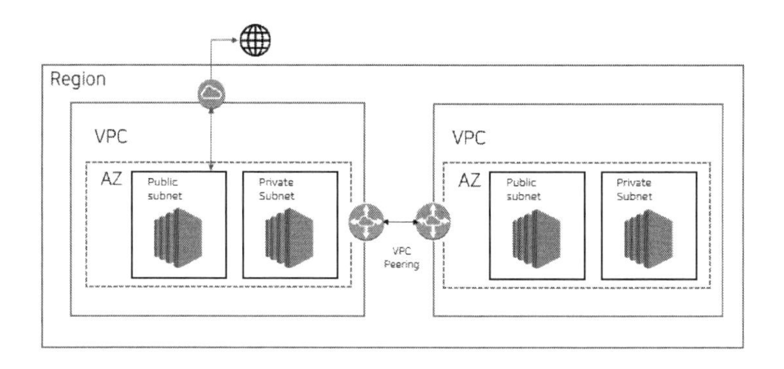

Transit Gateway

복수의 VPC간의 연결. 복수의 VPC 간 통신이 가능하다.

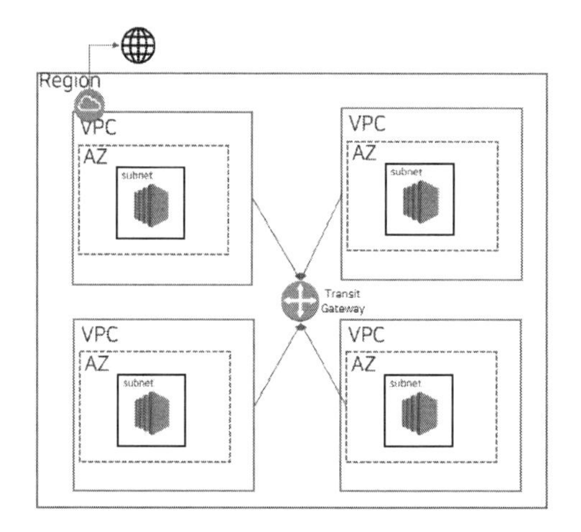

VPC Endpoint

프라이빗 서브넷이 공용 리소스와 연결 되게 해준다.
VPC안에 생성된 퍼블릭 서브넷은 S3와 같은 공용 리소스와 연결이 가능하지만 프라이빗 서브넷은 연결할 수 없다. 하지만 VPC에 VPC Endpoint를 사용하면 연결할 수 있다.

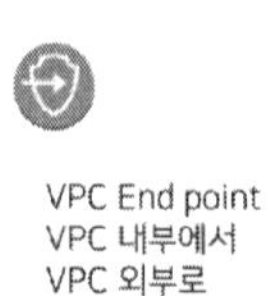

VPC End point
VPC 내부에서
VPC 외부로
접속하기 위한
연결점을
제공하는 서비스

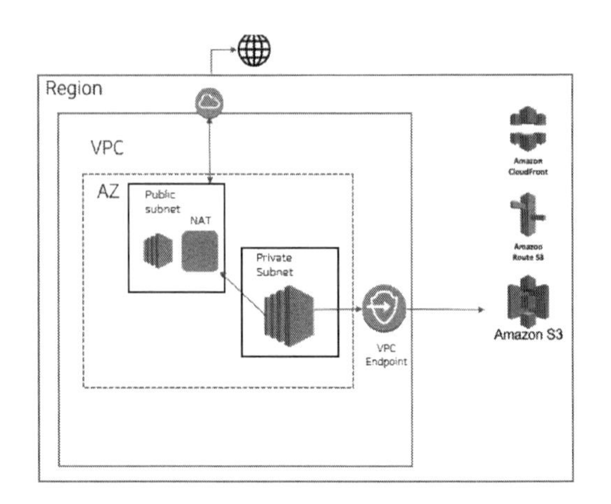

Direct Connect

AWS에 직접 네트워크를 연결하는 클라우드 서비스
타사 공급자가 제공하는 네트워크를 통해 AWS에 연결
로컬 데이터 센터 와 AWS VPC간에 직통 터널 구축 가능
직접 연결하기 때문에 안정적이고 빨라짐.

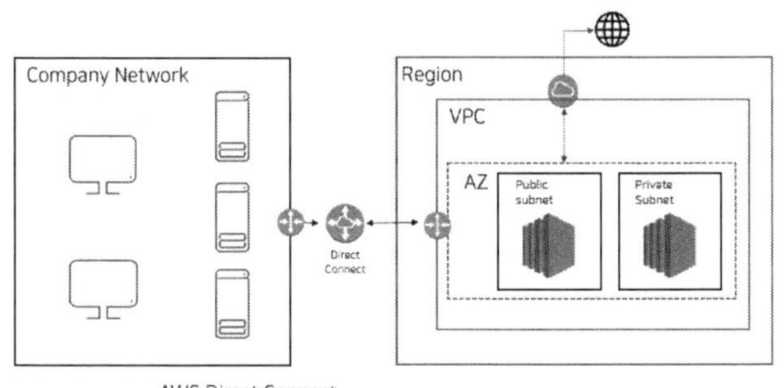

AWS Direct Connect
AWS 환경과 온프레미스 환경과의 연결을 위한 서비스

Route 53

DNS(Domain Name System) 서비스

www.naver.com 같은 주소를 IP주소로 변환하여 컴퓨터 간 연결을 할 수 있게 한다.
도메인 이름도 등록할 수 있고 엔드포인트에 대해 트래픽 분산, 그리고 장애시 다른 네트워크로 전환해주는 라우팅 관리 기능도 있다.

CloudFront

CDN(Content Delivery Network) 서비스다.
전세계 엣지 로케이션을 이용하여 웹콘텐츠를 빠르게 전송함. 저장하고 짧은 지연시간으로 콘텐츠를 제공한다.
예를 들어 미국에서 나의 컨텐츠를 다운로드 받으려고하면 한국 S3에서 보내는 게 아닌 미국 S3에서 전송한다. 즉 고객은 빠르게 다운 받을 수 있다.

데이터베이스(DB)

Relational Database Service(RDS)

관계형데이터베이스 제품을 AWS 상태로 제공하는 서비스
데이터베이스가 엑셀처럼 되어있어서 관계형임. 구축하기 시간이 들지만 구축되면 정밀하다.
AWS가 제공하는 RDBMS (AuroraMySQL,MariaDB,Oracle,MS SQLServer,PostgreSQL)

Aurora

AWS에서 개발한 관계형데이터베이스
AWS용으로 만들어져있어서 성능이 뛰어나나 가격이 다소 비싸다.

DynamoDB
비관계형 데이터베이스에 적합. NoSQL 데이터베이스
관계형데이터베이스보다 응답속도가 빠르며 VPC가 불필요하다.
그래서
서버리스(Lambda)와 같은 애플리케이션과 잘 사용이 됨.
Key-Value 기반의 데이터베이스다. RDBMS처럼 정밀하게
검색할 수는 없지만 빠르다.

ElastiCache
인 메모리 데이터베이스
DynamoDB와 같이 비관계형 데이터베이스이고, DynamoDB는
스토리지에 저장하는 반면 ElastiCache는 인 메모리
데이터베이스 이기 때문에 처리 속도가 더 빠름. 하지만
재시작할 때 데이터가 삭제된다. 따라서 캐시 용도로 많이
사용한다.

관리

Budgets
AWS 비용&예산을 설정하고 초과 시 알림을 받을 수 있다.
일별, 주별, 월별 보고서를 받을 수 있다.

Cost Explorer
AWS 비용을 시간에 따라 그래프와 같이 시각화하여볼 수
있다. 이번 달, 지난 12개월의 비용에 대한 데이터를 준비하여
이후 12개월 비용 예측해준다.

CloudWatch

AWS리소스에서 실행되는 애플리케이션을 모니터링하여 리소스 사용 임계치가 설정치보다 높아지면 알림 또는 설정해 놓은 작업 실행 프로세스 성능 및 활용률을 모니터링하고 설정된 임계 값이 이르면 메시지 발송이나 자동화된 작업을 실행한다.

CloudFormation

AWS 배포를 템플릿 파일에 정의 애플리케이션 시작 프로세스를 자동화, 표준화한다.

CloudTrail

계정 내 모든 API 이벤트 기록을 수집하여 계정 감사한다.
AWS 리소스의 모든 읽기, 쓰기 작업의 상세로그를 보관해서 어떤 일이, 누구에 의해 언제 일어났는지 알 수 있고, 관련된 IP주소도 쉽게 추적한다.
API 작업과 비 API 작업을 모두 기록, 기본적으로 90일간의 관리 이벤트를 기록한다.

Config

AWS 계정에서 변경, 규정 관리. 변경된 구성 상태가 목표 범위를 벗어나면 알림 발송한다.
AWS 리소스가 구성된 방식이 어떻게 변경됐는지를 추적, 리소스가 서로 어떻게 관련돼 있고 과거 어느 시점에 구성됐는지 확인. 리소스 구성과 미리 정의해 둔 기준을 비교하고, 규정을 위반하는 리소스가 있을 때는 경보를 보낸다.
Cloud Trail은 이벤트를 기록하고 CloudWatch는 이벤트를 경보할 수 있지만, AWS Config는 리소스를 전체적으로 보여주고, 과거 특정 시점에 어떻게 구성됐는지 알려준다.

보안

Identity and Access Management(IAM)

리소스에 액세스하고 작업할 수 있는 사람과 대상을 제어.
권한을 사용해 액세스 허용/거부를 할 수 있다.
하나의 AWS계정에 5,000개의 IAM 사용자 계정을 생성할 수 있으며 하나의 IAM사용자는 하나의 AWS 계정에만 연결된다.
사용자 계정에 직접 권한을 할당하거나 그룹, 역할을 설정하여 설정할 수 있다.

Multi Factor Authentication(MFA)

다중 인증 서비스. 암호 이외의 추가 정보를 입력하도록 하는 것으로 보안성을 높인다. 다단계인증 서비스라고 보면 쉽다.

Network Acess Control List (ACL)

네트워크 엑세스 제어 목록
서브넷에서 특정 트래픽을 허용 또는 거부할 수 있음.
VPC에 규칙을 사용하거나 지정 네트워크 ACL을 생성하여 보안성을 높임. 서브넷 단에서 작동한다.
*EC2단에서 동작은 보안그룹, 서브넷단은 ACL

Shield

DDos를 자동으로 감지
AWS에서 실행되는 애플리케이션을 보호하는 Ddos 보호 서비스 인스턴스 단에서 작동한다. 기본형은 무료이다.

WAF

웹 어플리케이션 방화벽.

ELB, Cloudfront, API Gateway에서 WAF를 설정할 수 있다.

Key Management Service(KMS)
리소스 데이터를 보호하는 암호화키 생성. 키사용 관리하는 관리형 서비스다.

보안솔루션

구분	설명
관리적 측면	IAM (Identity and Access Management) 자격 증명 관리
기술적 측면	Amazon Guard Duty (관리형 위협 탐지 서비스)
	Amazon Inspector (취약점 점검) (EC2만 다룸)
	AWS WAF (웹 어플리케이션 방화벽)
	AWS Shield (무료) (DDOS 보호) L3,L4 공격 보호

애플리케이션 통합 및 기타

Simple Notification Service(SNS)
자동으로 주제에 대한 알림을 SMS를 사용하는 수신자에게 보낸다.

Simple Queue Serice(SQS)
분산시스템 내에서 이벤트 중심 메세징으로 결합을 해제해서 대형프로세스의 개별단계를 조정한다.

API Gateway
애플리케이션을 위해 안전하고 안정적으로 API를 생성, 관리한다.

클라우드 서비스 간 관계

클라우드를 먼저 큰 카테고리 4개 (컴퓨터, 네트워크, 스토리지, 데이터베이스)로 나눌 수 있다.

먼저 컴퓨터 영역이다. 내가 원하는 스펙 (OS, 메모리, 디스크 등)을 선택해 EC2를 생성한다. EC2를 웹서버로 사용할 수도 있고 WAS(웹 애플리케이션 서버)로도 사용할 수 있고 사용자 선택에 따라 다양하게 사용할 수 있다.

생성한 EC2를 AMI(머신이미지)로 복제를 한다. 필요할 때마다 Ctrl+C , Ctrl+V처럼 쉽게 복사할 수 있도록 준비할 수 있다.

그리고 Auto scaling으로 해당 서버가 많이 필요할 때 자동으로 EC2를 복제한 AMI로 늘리거나 줄일 수 있다.

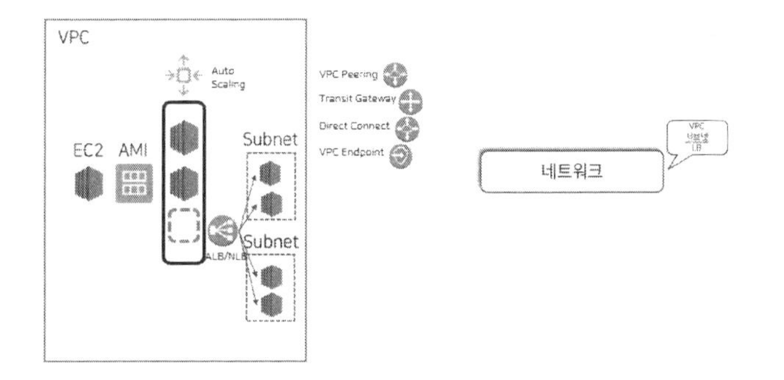

네트워크 영역이다. 사용자가 구현하고자 하는 서비스, 환경은 하나의 사용자의 네트워크, VPC안에서 구현되어야 한다. VPC를 생성하고 그 안에 EC2, AMI, Auto Scaling을 동작 시킬 수 있다. 그리고 하나의 VPC안에 논리적으로 격리된 서브넷을 만들 수 있으며 그 서브넷 안에 EC2를 넣을 수 있다. 그리고 LB(로드밸런서)를 통해 트래픽을 알맞게 해당 EC2로 분배할 수 있다. 그리고 앞 장에 설명 한 바와 같이 다양한 VPC 옵션들을 통해 네트워크를 구성할 수 있다.

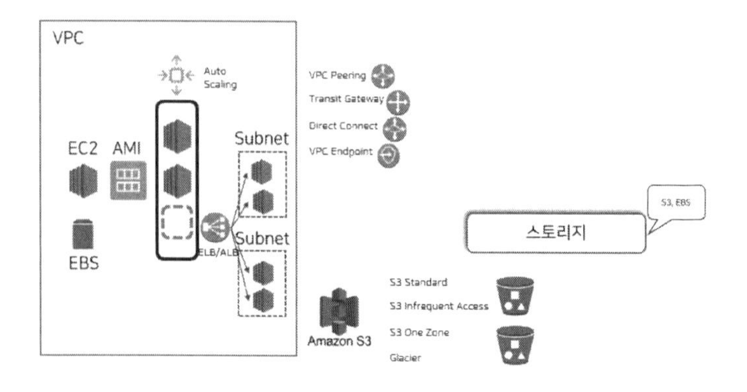

스토리지 영역이다. EC2 안의 디스크 개념으로 EBS를 이용할 수 있고, S3를 이용할 수 있다. S3는 VPC안의 서비스가 아닌 AWS에서 제공하는 서비스이기 때문에 S3를 사용하고자 하는 EC2는 네트워크 설정을 통해 S3와 연동해야 한다.

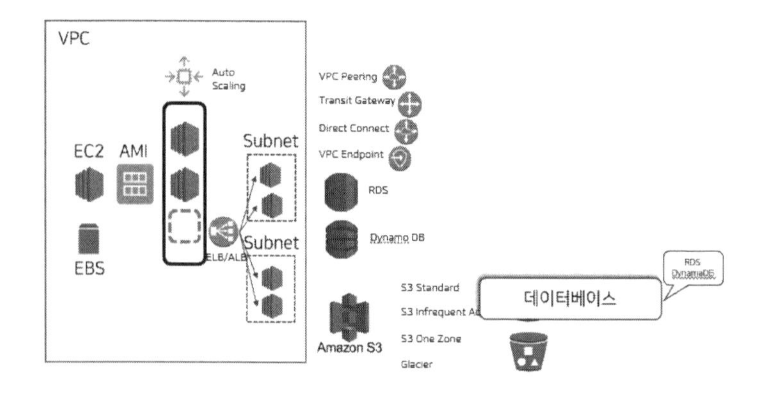

데이터베이스 영역에는 관계형데이터베이스, 비관계형데이터베이스를 통해 고객의 DB를 관리 할 수 있다. 데이터베이스 또한 S3와 같이 AWS에서 제공하는 서비스이기 때문에 VPC 밖에 존재한다.

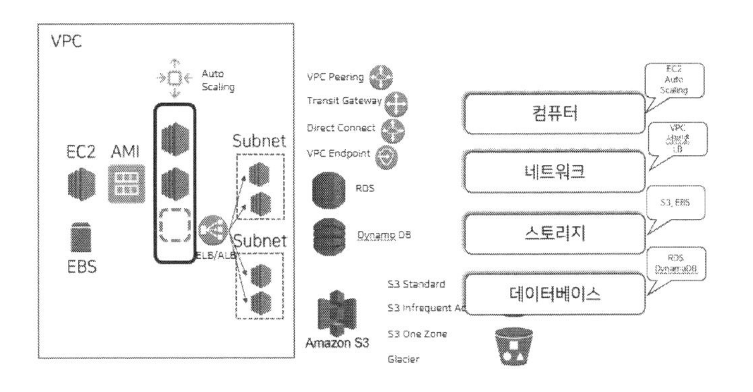

이렇게 클라우드 컴퓨팅에 필요한 컴퓨팅, 네트워크, 스토리지, 데이터베이스를 통해 고객의 클라우드 인프라 환경을 구축할 수 있다.

AWS Practitioner 시험에 나올 수 있는 개념들

1. 클라우드 컴퓨팅 사용 이점 중 민첩성은 어떤 이점을 제공하는가

- 애플리케이션 개발 및 인프라를 관리하는 대신 업무에 집중할 수 있다.
  이점 4가지: 민첩성, 탄력성, 비용 절감, 확장성

2. 과거 사용금액을 통해 나중 비용과 사용량을 매니징 하는 비용 툴은?

- Cost Explorer

3. JSON 문서를 저장하는 데 사용하는 완전 관리형 데이터베이스는?

- Amazon Dynamo DB

4. AWS IAM 서비스를 사용하여 리소스를 보호할 수 있는 모범사례는?
- 최소권한부여
- AWS 루트 사용자 액세스 키 잠금

5. 페타바이트 급의 데이터를 AWS로 마이그레이션 할 수 있는 서비스는?
- AWS Snowball

6. 서버리스 애플리케이션을 분리하고 확장할 수 있는 서비스는?
- Amazon SQS

7. VPC와 온프로미스 네트워크를 단일 네트워크에 연결하는 서비스는?
- AWS Transit Gateway

8. VPC 서브넷을 보호하는데 사용되는 것은?
- Network ACL

9. 2~3년 동안 중단되지 않는 워크로드를 실행할 때 비용 효율적인 인스턴스 구매옵션은?
- Amazon EC2 표준 예약 인스턴스

10. 기계 학습을 사용해 데이터를 자동으로 검색,분류하는 보안서비스는?

- Amazon Macie

11. 악성활동과 무단 동작을 모니터링 하는 위협 탐지 서비스는?

- Amazon GuardDuty

12. 모바일, 웹에서 액세스 제어를 쉽게 추가할 때 사용 하는 서비스는?

- Amazon Cognito

13. 안전하고 확장성이 뛰어나게 쉽게 호스팅 할수 있는 소스제어 서비스는?

- AWS CodeCommit

14. AWS에서 애플리케이션을 신속하게 개발,구축,배포 할수 있는 서비스는?

- Amazon Codestar

15. 온프로미스에서 실행되는 모든 인스턴스에 대한 코드 배포를 자동화 하는 서비스는?

- AWS CodeDeploy

16. 퍼블릿 인스턴스가 퍼블릿 인터넷에 연결할 수 있게 하는 서비스는?

- Internet Gateway

17. 데이터를 실시간 스트리밍할 때 사용되는 서비스는?

- Amazon Kenesis

18. 자주 액세스하지 않는 데이터를 비용 효율적으로 관리하기 위해서는 어떤 것을 사용해야 하나?

- 수명주기정책

19. EC2 인스턴스의 운영체제를 패치하는 것은 누구의 책임인가?

- AWS

20. 서버를 유지 관리 필요없는 AWS 서버리스 플랫폼은?

- Lambda
- Amazon API Gateway

21. S3에 엑세스 하는데 필요한 권한을 부여 정책은?

- 사용자정책
- 버킷정책

22. 데이터 웨어하우스를 생성할 수 있는 것은?

- Amazon Redshift

23. 가상네트워크에서 AWS 격리 세션을 프로비저닝 할 수 있는 것은?

- Amazon SQS

24. 사용량이 적을땐 인스턴스를 줄이고 많을땐 늘리는 것은?

- Auto Scaling

25. 애플리케이션을 보호하는 관리형 DDos 보호 서비스는?

- AWS Shield

26. 웹악용으로부터 웹애플리케이션을 보호하는 방화벽은?

- AWS WAF

27. 사용자에게 영향줄 수 있는 이벤트가 발생할 때 알림 및 수정 지침을 제공하는 서비스는?

- AWS Personal Health Dashboard

28. AWS에 배포된 애플리케이션의 보안 및 규정 준수 개선을 위한 자동화된 보안 평가 서비스는?

- Amazon Inspector

29. IAM 및 리소스 기반 정책을 테스트하고 문제 해결하는데 사용되는 서비스는?

- IAM 정책 시뮬레이터

30. 글로벌 서비스로 정의 된 것

- Amazon CloudFront

31. 많은 이미지를 검색할 수 있는 기능을 제공하는 서비스

- Amazon Recognition

32. 퍼블릿 인스턴스가 퍼블릿 인터넷에 연결할 수 있게하는 서비스는?

- Internet Gateway

33. 고객에게 콘텐츠를 빠르게 제공하기 위한 서비스는?

- Amazon CloudFront

34. AWS에서 대량 할인 혜택을 받을 수 있는 것과 조직의 모든 계정을하나의 계정으로 취급하는 것은?

- AWS Organizations

35. 인스턴스의 ID 및 IP주소를 검색하기 위해 사용하는 서비스는?

- Instance Metadata

36. 관계형 데이터베이스를 쉽게 설정,운영 할 수 있는 것은?

- Amazon RDS

37. VPC간 전용 연결을 설정하기 위해서 사용되는 서비스는?

- AWS Direct Connect

38. 수요와 공급에 따라 가격이 바뀌는 인스턴스 요금은?

- 스팟 인스턴스

39. 자체복구가 가능하고 처리량이 높은 데이터베이스는?

- Amazon Aurora

40. AWS 글로벌 인프라는 어떻게 구성되나

- 리전
- 가용영역
- 엣지로케이션

41. 오랫동안 액세스하지 않는 파일을 보관할 때 필요한

스토리지는?

- Amazon Glacier

42. 모범사례에 따라 비용절감,성능 및 보안 향상에 도움 되는 서비스는?

- AWS Trusted Advisor

43. 가상 사설서버 솔루션이 필요한 PaaS 솔루션은?

- Amazon Lightsail

44. 전담 기술 계정관리자가 포함된 AWS 지원서비스는?

- Enterprise

45. 루트 계정 보안을 강화하기 위한 방법은?

- 루트계정 MFA 구성

46. 퍼블릿 인스턴스가 퍼블릿 인터넷에 연결할 수 있게하는 서비스는?

- Internet Gateway

47.고객이 실시간 스트리밍 데이터 수집, 처리, 그리고 분석 도움주는 서비스는?

- Amazon Kinesis

48 .키 생성과 관리 암호화 사용 조작을 쉽게 만들어 주는 서비스는?

- AWS KMS

49. 어느것이 AWS 책임인가?

- 물리 인프라 확보

50. 다음 중 어느 AWS IAM 모범사례가 AWS 계정 보호에 도움되는가?

- 계정 생성 후 AWS 루트 사용자 계정을 비활성화

51. 한 사용자가 AWS로 마이그레이션 해야 하는 페타바이트급 데이터를 처리하기 위해 필요한 서비스

- AWS Snowball

52. 서비스를 사용한만큼 지불할 때 선택하는 인스턴스서비스

- 온디맨드

53. Route53 서비스 기능은?

- 도메인 등록
- DNS 서비스

54. AWS Organizations 이점

- 계정 생성
- 자동 관리
- 액세스 정책 중앙관리

55. 트래픽 분배 조정기 역할을 하는 서비스는?

- ELB (Elastic Load Balancer)

56. DNS의 목적

- 도메인 이름을 IP로 변경

57. 확장성이란?

- 크기,용량의 범위가 커지는 능력

58. 탄력성이란?

- 수요에 따라 성장 및 축소 하는 능력

59. 가용성이란?

- 액세스 하고싶을 때 액세스 할수 있는 능력

60. AWS 리전이란?

- 3개 이상의 가용역으로 구성된 지리적 영역

61. 온프로미스와 AWS 사용비용 추정할 때 쓰는 서비스

- TCO 계산기

62. 컨텐츠 전송을 위해 에지 위치를 사용하는 서비스

- CloudFront

63. AWS 사용자가 수행한 작업을 기록하는 로깅서비스는?

- Cloud Trail

64. IAM 액세스 정책 내용을 보기 위한 방법

- AWS 서비스 설명서

65. AWS에서 제공하는 무료 도구로 비용 추정 가능한 서비스

- TCO 계산기

66. 실시간 지침을 제공하는 도구

- AWS Trusted Advisor

67. 비용 차트를 볼수 있는 무료 도구, 미래 소비 예측 가능 도구

- AWS Cost Explorer

68. 잠재적으로 계정 손상 가능성을 나타내는 활동을 모니터링 하는 서비스

- Amazon GuardDuty

69. 웹 어플리케이션 방화벽

- AWS WAF

70. 관리형 DDos 보호 서비스

- AWS Shield

71. AWS 키 관리서비스, 보안에 사용되는 암호화 키에 대한 제어 제공

- AWS Key Management Service

72. 규정 준수 관련 정보를 제공하는 중앙 리소스를 제공

- AWS Artifact

73. AWS에 배포된 애플리케이션의 규정 준수 서비스

- AWS Inspecter

74. 비용절감, 성능향상 , 환경을 최적화를 통해 보안 개선하는 서비스

- Trusted Advisor

75. AWS에서 침투 테스트를 허용한다. 침투 테스트를 수행하는데 권한이 필요하지 않는 서비스

- EC2
- ELB
- RDS
- Cloud Front
- Aurora
- API Gateway
- Elastic Beanstalk

76. 계정이 손상되었을 때 해야하는 행위

- 루트 비밀번호 변경
- 모든 IAM 사용자 암호 변경
- API 엑스키 삭제

77. 클라우드에서의 보안의 책임 주체

- 고객

78. 클라우드 보안의 책임주체

- AWS

79. 10분의 1미만으로 작동되는 관리형 데이터 웨어하우스 서비스는?

- Amazon Redshift

80. 배치 작업에 코드를 패키징하면 되는 서비스

- AWS Batch

81. 애플리케이션을 실행하는 가장 빠른방법

- AWS Elastic Beanstalk

82. 온프로미스와 연결하는 하이브리드 클라우드 스토리지 서비스

- AWS Storage Gateway

83. 애플리케이션 마이그레이션 진행 상황을 추적, 적합한 도구 선택 서비스

- AWS Migration Hub

84. 라이브서버의 복제를 자동화,예약 가능한 서비스

- AWS SMS

85. 개발자가 쉽게 생성할 수 있는 완전관리형 서비스, API게시,유지관리 및 보호하는 서비스

- Amazon API Gateway

86. AWS와 사용자간 프라이빗 연결을 설정 하는 서비스

- AWS Direct Connect

87. AWS에서 애플리케이션을 개발,구축,배포 할 수 있는 서비스

- AWS CodeStar

88. 관리형 보안 Git 기반, 호스팅하는 소스 제어 서비스 저장소는

- AWS CodeCommit

89. 소스코드를 컴파일하고 테스트 실행하며 소프트웨어 패키지 생성을 하는 서비스

- AWS CodeBuild

90. 소프트웨어를 자동화하는 완전 관리형 배포 서비스

- AWS CodeDeploy

91. 완전 관리형 자동화하는데 있어 도움되는 지속전 전달 서비스

- AWS CodePipeline

92. 개발자가 애플리케이션을 분석하고 디버그 하도록 지원하는 서비스

- AWS X-Ray

93. 자동화된 시스템에서 텍스트파일을 사용해 프로비저닝 하는 서비스

- CloudFormation

94. 구성을 평가, 감시 하는 서비스

- AWS Config

95. 관리형 인스턴스를 제공하는 서비스

- AWS OpsWorks

96. AWS 인프라에 대해 제어기능을 제공하는 서비스
- AWS Systems Manager

97. Amazon 의 데이터를 쉽게 분석할 수 있는 대화형 쿼리 서비스
- Amazon Athena

98. 웹사이트, 애플리케이션 검색 솔루션 관리 및 확장 하는 서비스
- Amazon CloudSearch

99. 데이터를 안정적으로 처리하고 이동하게 하는 서비스
- AWS Data Pipeline

100. 데이터분석가가 많은 양의 데이터를 쉽고 싸게 처리하는 서비스
- Amazon EMR

101. 실시간 스트리밍 데이터를 수집,처리하는 서비스
- Amazon Kenesis

102. 영구 블록 기반 스토리지 볼륨을 제공하는 것은?
- EBS

103. ELB (Elastic Load Balancing) 이점 3가지
- 고가용성

- 탄력성
- 보안

103. Auto Scaling 이점 3가지
- 내결함성
- 탄력성
- 확장성

103. 데이터 내구성 의미
- 오류로 손실 될 수 있는 데이터의 양

104. AWS 클라우드에 있는 간단하고 확장 가능한 파일 스토리지 (파일기반형)
- Amazon Elastic File System(EFS)

105. 클라우드 컴퓨팅 이점
- 거래자본 비용 감소
- 규모의 경제
- 용량 추측 필요없음
- 속도와 민첩성 향상
- 유지보수 비용 필요 없음
- 글로벌 확장

106. CloudFront용 CDN 엔드포인트는?
- 엣지 로케이션

107. 액세스를 안전하게 제어하는데 도움이 되는 웹 서비스
- IAM

108. IAM을 사용하여 관리할 수 있는 범위

- 사용자
- 그룹
- 액세스 정책
- 다단계인증 MFA
- 역할
- 자격 증명
- 암호 정책

109. 루트 계정에 대한 모범사례

- 루트사용자 자격증명 사용 금지
- 루트사용자 자격증명 공유 금지
- MFA 활성화
- IAM 사용자 생성, 권한 할당

Chapter3 네트워크&보안

1. 네트워크 기본

네트워크란

정보가 전송되는 경로

LAN과 WAN

LAN: 근거리 통신망

WAN: 원거리 통신망

유니캐스트, 멀티캐스트,브로드캐스트

유니캐스트: 1:1통신

멀티캐스트: 1:N통신

브로드캐스트: 1:ALL 통신

회선, 대역폭, 대역대

회선: 데이터 전송의 통로 (도로)

대역폭: 데이터를 허용할 수 있는 동시 접속자 수 -속도

대역대: 공유기나 라우터를 통해 게이트웨이가 할당해주는 IP범위

클라이언트와 서버

클라이언트: 네트워크에서 서비스를 요구하는 쪽

서버: 네트워크에서 서비스를 제공하는 쪽

허브와 라우터

허브: LAN 케이블의 접선 장치, 리피터 역할도 함

라우터: 서로 다른 네트워크를 서로 연결

패킷

데이터의 작은 조각

패킷(Packet)은 컴퓨터 네트워크에서 데이터를 전송하는 데 사용되는 기본적인 단위다. 데이터를 전송할 때, 여러 개의 패킷으로 분할되어 전송되며, 수신자는 패킷을 받아서 재조립하여 원래의 데이터로 복원한다.

헤더

패킷의 헤더에는 패킷의 제어 정보와 메타데이터가 포함된다.

IP주소, 포트 번호, 패킷의 순서 및 크기 등의 정보가 헤더에 포함된다(송신자, 수신자 모두).

페이로드(Payload)

패킷의 페이로드는 실제 전송되는 데이터.

파일, 텍스트, 이미지 등의 다양한 유형의 데이터가 페이로드로 포함될 수 있다.

2. OSI 7계층

L1 (랜카드, 리피터)

랜카드: 메인보드에 내장되어 있고 아날로그 신호를 디지털 신호로 변환한다.

리피터: 전기신호를 증폭시킨다. 1:1통신만 가능하다.

L2 (이더넷, MAC 주소)

이더넷: 네트워크 장비 간 신호를 주고받는 규칙을 정하는 데이터링크 계층에서 가장 많이 사용되는 규칙이다.

허브가 들어온 데이터를 모든 포트에 보내는데 이더넷이 여러 컴퓨터에 데이터를 전송해도 충돌이 일어나지 않게 한다.

MAC주소: 물리주소/기기주소

노드: 네트워크에 존재하는 기기

L3 (IP, 라우터, DHCP)

라우터: 네트워크를 분리할 수 있다. 서로 다른 네트워크와 통신 할 수 있다.

라우팅 테이블: 경로 정보가 등록된 테이블

DHCP: 라우터에서 IP주소를 자동으로 할당받는 기술

L4 (TCP/ UDP)

TCP: 목적지에 신뢰할 수 있는 데이터를 전송. 데이터 오류 없이 전송되도록 관리한다.

UDP: 비 연결형 프로토콜로 신뢰성 있는 전송을 보장하지 않는다.

L5~L7(응용계층)

애플리케이션과 데이터를 주고받는 데 필요하다.

웹서버, 메일서버 등과 통신하려면 응용계층의 프로토콜을 사용해야 한다.

Layer	계층	설명
L5~L7	응용계층	애플리케이션 등에서 사용되는 데이터를 송신하는데 필요
L4	전송계층	목적지에 데이터를 정확하게 전달하는데 필요
L3	네트워크계층	다른 목적지에 데이터를 전달하는데 필요 (다른 네트워크)
L2	데이터링크계층	랜에서 데이터를 송수신하는데 필요
L1	물리계층	데이터를 전기신호로 변환하는데 필요

HTTP	DNS	SMTP	FTP	POPS	기타	응용 계층	내용까지 해석	
TCP		UDP				전송 계층		세그먼트
IP						네트워크 계층	라우터,DHCP,NAT	패킷
이더넷						데이터링크 계층	허브,스위치,이더넷,MAC	프레임
전기신호변환						물리 계층		

*L7 스위치는 응용계층의 내용까지 해석해서 데이터를 배분. 특정 사용자와 서버의 연결을 유지하는 기능은 L7 스위치가 구현.

3. 프로토콜과 IP

프로토콜(Protocol)은 컴퓨터나 네트워크 장비 사이에서 데이터를 교환하기 위한 규칙과 형식을 정의한 체계적인 규약이다. 프로토콜은 데이터의 전송, 통신, 교환을 가능하게 하며, 통신하는 장치들 간의 상호작용을 가능하게 한다.

프로토콜	포트 번호	설명
TCP		신뢰성 있는 데이터 전송을 제공하는 전송 계층 프로토콜
UDP		비연결형 데이터그램 프로토콜
HTTP	80	웹 서버와 클라이언트 간의 통신을 위한 프로토콜
HTTPS	443	암호화된 웹 서버와 클라이언트 간의 통신을 위한 프로토콜
FTP	20,21	파일 전송을 위한 프로토콜
SMTP	25	전자 메일을 전송하기 위한 프로토콜
POP3	110	전자 메일을 수신하기 위한 프로토콜
IMAP	143	원격 메일 서버와 클라이언트 간의 통신을 위한 프로토콜
DNS	53	도메인 이름을 IP 주소로 해석하기 위한 프로토콜
SNMP	161	네트워크 장비의 관리와 모니터링을 위한 프로토콜
SSH	22	안전한 원격 접속을 위한 프로토콜

클래스

IPv4 주소 체계에서 A, B, C 클래스는 네트워크의 크기와 할당

클래스	범위	서브넷마스크
A	1.0.0.0 ~ 126.255.255.255	255.0.0.0
B	128.0.0.0 ~ 191.255.255.255	255.255.0.0
C	192.0.0.0 ~ 223.255.255.255	255.255.255.0

되는 호스트 주소의 범위에 따라 정의된 클래스다.

*서브넷마스크: IP주소의 네트워크 부분과 호스트 부분을 구별하는 데 사용한다.

PING

목적지 컴퓨터와 통신 확인. ICMP 프로토콜을 이용하여 목적지에 ICMP 패킷 전송하고 응답이 제대로 오는지 확인하는 명령이다.

DNS

이름 해석을 사용하여 도메인 이름을 IP주소로 변환한다.

*Dynamic DNS: DNS가 가지고 있는 DB 정보가 변경되면 즉시 통지하거나 변경 부분만 전송한다.

NAT

IP주소를 변환하는 기술이다. 보통 라우터에 구현되어 있다. 사설 IP -> 공인 IP

*NAT의 종류

정적 NAT (Static NAT)

특정 사설 IP주소가 항상 특정한 공인 IP주소로 매핑되도록 한다.

다이나믹 NAT

사설 디바이스가 인터넷에 접속할 때마다 사용 가능한 공인 IP 주소 풀에서 동적으로 할당을 통해 동시에 여러 사설 디바이스가 인터넷에 접속할 수 있다.

양방향 NAT

양방향 NAT는 내부 네트워크에서 외부로 나가는 패킷과 외부에서 내부로 들어오는 패킷을 모두 처리한다.

*NAT의 형태

SNAT(Source NAT)

SNAT는 출발지 IP주소 변환을 의미한다. 내부 네트워크의 디바이스가 인터넷에 연결되는 경우, 내부 디바이스의 사설 IP주소를 공인 IP주소로 변환한다.

DNAT(Destination NAT)

DNAT는 목적지 IP주소 변환을 의미한다. 외부에서 내부로 접속할 때, 외부의 요청을 받은 라우터 또는 방화벽이 목적지 IP주소를 변환한다.

게이트웨이

두 네트워크를 연결하여 통신하기 위한 시스템이다.

단순 게이트웨이라고 하면 라우터를 가지고 있는 경우가 대부분이다.

프로비저닝

사용자의 요구에 맞게 시스템 자체를 제공하는 것을 프로비저닝 이라고 한다.

VPN (IPsecVPN, SSL VPN)

	Ipsec VPN	SSL VPN
성격	네트워크와 네트워크를 연결	클라이언트와 네트워크를 연결
프로토콜	IP	TCP
계층	3계층	6계층
특징	- 2개의 서버장비 필요 - 소프트웨어 설치가 필요 - 사설망에 직접 연결된 것처럼 사용	- 1개의 서버장비 필요 - 웹브라우저만으로 사용 - SSL 포탈을 통해 연결

API (Restful API, Open API)

Rest API: 서비스 간 통신을 가능하게 하는 아키텍처 스타일 (각기 다른 규칙 -> 알려줘야 함)

Open API: 외부 개발자에게 제공되는 인터페이스 (하나의 규칙)

공인 IP, 사설 IP

공인 IP: 인터넷상에 노출되는 IP

사설 IP: 내부 네트워크에서 사용되는 주소

유동 IP, 고정 IP

유동 IP: 자동으로 할당되고 변하는 주소

고정 IP: 고정된 주소

*서버는 고정 IP 사용이 효율적

*웹서버, 메일서버, VPN같이 외부에서 접근할 때 고정 IP로 동일한 주소로 올 수 있게끔 할 때 고정 IP를 사용한다. Ex) DNS 서버, 웹호스팅 서버처럼 도메인 이름과 연결될 때

*공인, 사설 IP가 둘 다 사용될 수 있음.

웹서버: 공인 IP

내부 서버: 사설 IP

Q. 여러 개의 웹서버를 운영하면 여러 개의 공인 IP가 필요하나요?

A. 아니요. 프록시서버를 이용해서 공인 IP 하나로 적절한 내부 웹서버로 보낼 수 있다.

4. 네트워크 보안

보안의 3대 요소

기밀성: 인가된 사용자만 자산에 접근

무결성: 적절한 권한을 가진 사용자가 인가한 방법으로만 정보를 변경

가용성: 필요한 시점에 자산에 대한 접근이 가능

위험, 위협, 취약점

위험= 위협 X 취약점 X 자산

*위험(Risk):

위험은 어떤 사건이나 상황으로 인해 발생할 수 있는 손실의 가능성

*위협(Threat):

위협은 시스템이나 데이터에 피해를 줄 수 있는 요인, 요소

*취약점(Vulnerability):

취약점은 시스템이나 네트워크에서 보안을 해칠 수 있는 약점이나 결함

*자산(Asset):

자산은 조직이 보호하고자 하는 가치 있는 자원이나 정보

공격방식

보잉크/봉크/티어드롭

프로토콜의 오류 제어 로직을 악용하여 시스템자원을 고갈시킨다. 공격 대상이 반복적인 재요청과 수정을 계속하게 함으로써 고갈시킨다.

랜드공격

출발지 IP, 목적지 IP 주소 값을 똑같이 만들어서 공격 대상에게 보내서 시스템을 혼란시킨다.

죽음의 핑공격

PING(네트워크 상태 확인) 명령 보낼 때 패킷을 최대한 길게 보내서 수신 네트워크를 마비시킨다.

SYN 플러링

3핸즈웨이 쉐이크에서 SYN만 보내고 ACK을 안 보내서 서버가 계속 기다리게 한다.

스머프 공격

위조된 출발지 IP로 공격한다.

스니핑공격

도청, 전기신호를 분석하여 정보 찾기 등 미러링한다.

스푸핑공격 (DNS스푸핑)

MAC, IP, 포트 등 속여서 공격한다.

세션 하이재킹 공격

두 시스템 간 연결 활성 상태일 때, 로그인 상태를 가로채는 공격이다.

IP Fragmentation 공격

공격자는 큰 크기의 IP 패킷을 보내어 공격 대상 시스템을 과부하 시킨다.

TCP Fragmentation 공격

공격자는 패킷의 시퀀스 번호를 조작하여 시스템을 혼란시킨다.

공격자는 TCP 패킷을 분할하여 보내어 공격 대상 시스템의 패킷 재조합 과정에서 혼란을 일으킨다.

Replay attack (재생공격)

공격자가 네트워크상에서 이미 전송된 데이터를 가로채고 재전송한다. 해커는 인증된 사용자로 위장하여 시스템을 속인다.

악성코드의 분류

종류	내용
바이러스	사용자의 PC내에서 프로그램을 몰래 변형 복제와 감염시킴
웜	인터넷,네트워크를 통해 전파되는 악성프로그램 바이러스와 달리 스스로 전파
트로이목마	사용자의 컴퓨터를 조종 전파 되지 않음
PUP	불편함을 주는 악성코드 (광고,바탕화면 자동설치 등)

방화벽

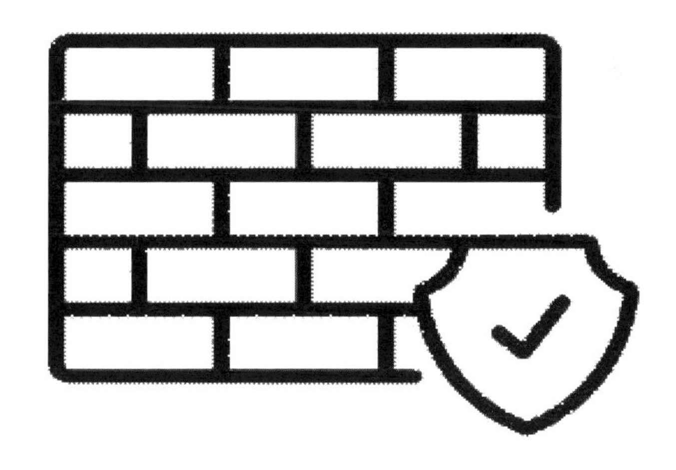

방화벽이란 용어는 원래 단어 그대로 건물 내 화재의 번짐을 막기 위해 고안된 벽을 의미했다.

1980년대 말 이 용어가 네트워크 기술에 적용되었는데, '네트워크를 제한한다'라는 의미로 사용되었다.

정확히는 트래픽을 방화벽에 집중시키고 정해놓은 룰에 의해서 네트워크를 통과시킬지 말지 정한다. 라고 사용된다.

방화벽은 일반적으로 네트워크 구조의 최상단에 위치하며, 인터넷과 같은 외부망으로 들어오는 접근 시도를 1차로 룰기반으로 제어 및 통제 함으로써 내부 네트워크를 보호하는 역할을 하는 것을 방화벽이라고 한다.

성으로 비유를 하자면 방화벽은 성문을 지키는 병사라고 생각하시면 될 것 같다.

그럼 방화벽이 왜 필요할까?

네트워크 방화벽이 없으면 성문에 문지기가 없는 성이라고 생각하면 된다. 문지기가 없으니 검열 없이 아무나 성에 들어 올 수 있습니다. 네트워크로 적용하여, 문지기 역할을 하는 방화벽이 없으면 누구나 내부망에 들어올 수 있으므로

1. 네트워크 보안이 침해되고

2. 데이터가 유출 또는 손상되거나

3. 멀웨어 같은 악의적인 공격자의 공격에 완전히 노출

된다. 따라서 방화벽은 보안솔루션 중 가장 필수적이고 기본적인 솔루션이라고 할 수 있다.

패킷 필터링 방화벽

통과 가능 조건

송신처IP:ALL
수신처IP:ALL
송신처 포트:80
수신처 포트:ALL
방향: 외부-내부

1세대 방화벽 (패킷 필터링)

방화벽에도 여러 가지 종류가 있다, 먼저 패킷 필터링 방식의 방화벽부터 설명하겠다.

패킷 필터링 방화벽은 1세대 방화벽으로, 1980년 중반에 등장했다.

기본적으로 모든 접근을 거부한 후 허용할 접근만 허용하는 방식을 따른다.

예를 들어, 네트워크를 통해 데이터가 이동하는 통로를 포트라 하는데, 방화벽은 기본적으로 약 65,000 여 개의 통신 포트 모두를 차단한 후 접근을 허용하는 특정 포트만을 열어둔다.

즉 홈페이지 운영을 위한 웹 서비스(http)를 제공한다면 80 포트를 접근 허용해야 한다.

이처럼, 포트, IP, 프로토콜에 통과 가능한 정책을 설정하면 그 정책에 맞는 패킷들만 방화벽을 통과할 수 있다.

패킷 필터링은 운용이 쉽다는 장점이 있으나, 네트워크 내 모든 패킷을 대상으로 검사를 수행해야 해 과부하로 인한 처리 지연 현상이 발생하는 등 안정성이 취약할 뿐만 아니라 일반 사용자가 직접 규칙을 설정하기 어려운 단점이 있다.

그리고 TCP 방식으로 3way handshake 할 경우 방화벽에 양쪽 정보의 룰을 다 입력해줘야 한계점이 있다.

*TCP란 연결 지향형 프로토콜로, 연속성 있는 데이터 패킷을 주고받을 때 사용한다.

2세대 방화벽 (Stateful Inspection)

이러한 단점을 보완하기 위해 고안된 게 Stateful Inspection 방화벽이다.

2천 년 초 체크포인트라는 회사에서 시작한 방화벽으로

사전적인 정의는 stateful은 상태 유지 inspection은 점검이란 뜻이다. 방화벽에서는 '상태저장형 방화벽' 또는 '상태 분석형 방화벽'이라고 불린다.

방화벽은 패킷이 외부로 나갈 때 세션 정보를 저장하고 패킷이 들어오거나 나갈 때 저장했던 세션 정보를 먼저 참조해 들어오는 패킷이 외부에서 처음 시작된 것인지, 내부 사용자가 외부로 요청한 응답인지 가려낸다.

그래서 일일이 관리자가 양쪽 포트를 열어둘 필요 없이 외부로 나갈 때 저장된 세션 값을 통해 들어올 때 같은 세션 값이면 허용을 한다.

하지만 Stateful Inspection 방화벽도 정해진 정책에 의해 제어하므로 정책이 많아질수록 성능 저하가 발생할 우려가 있다.

또한 일반 사용자가 정책을 관리하기에는 어렵다는 단점이 있다. 그리고 DDoS와 같은 공격으로 수만 개의 세션을 보내 과부하가 걸리게 할 수도 있다.

WAF

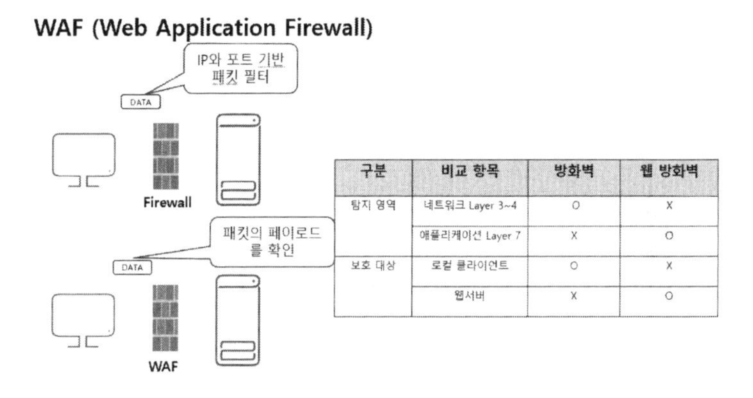

구분	비교 항목	방화벽	웹 방화벽
탐지 영역	네트워크 Layer 3~4	O	X
	애플리케이션 Layer 7	X	O
보호 대상	로컬 클라이언트	O	X
	웹서버	X	O

웹 방화벽(Web Application Firewall, WAF) 은 일반적인 네트워크 방화벽 (Firewall)과는 달리 웹 애플리케이션 보안에 특화되어 개발된 솔루션이다.

방화벽은 IP주소와 포트를 기반으로 차단하는 솔루션이라고 하면 웹 방화벽은 웹서버로 들어오는 웹트래픽을 검사하여 악의적인 코드나 공격 유형이 포함된 웹 트래픽을 차단해 주는 방화벽을 말한다.

WAF는 이러한 공격 수법에 대처하기 위해 여러 가지 공격 수법의 템플릿을 '시그니처'로 저장하고 있다. WAF는 웹 애플리케이션 서버에 대한 데이터 모두를 시그니처와 대조하며 체크합니다.

WAF는 아래와 같이 웹 취약성에 관한 공격들을 분류하고 방어할 수 있다.

- SQL Injection (데이터베이스를 변조하거나 탈취)
- Cross-Site Scripting (XSS) (서버 연결을 빼어서 악성코드가 삽입된 웹 페이지를 보게 하는)
- Cross-Site Request Forgery (CSRF) 인터넷 사용자가 자신의 의지와는 무관하게 공격자가 의도한 행위를 하게 하는

공격

그리고 Firewall은 네트워크 Layer 3~4에서 동작하여 IP, 포트 기반으로 차단하지만 WAF는 애플리케이션 계층 (Layer 7)에서 동작하기 때문에 사용자의 웹 애플리케이션에 맞게 보안 정책을 커스터마이징 할 수 있다.

차세대방화벽

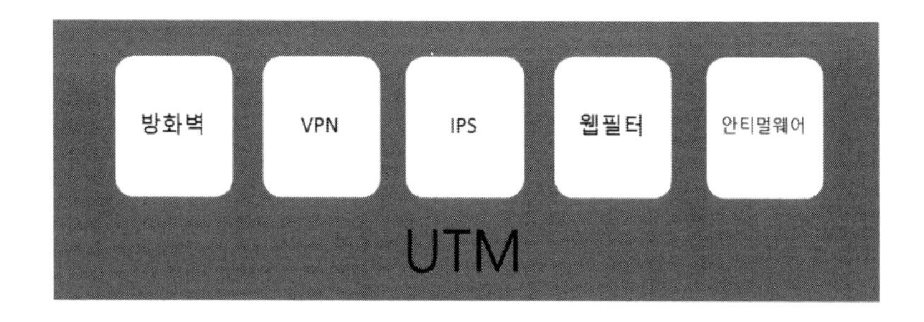

방화벽(stateful)만으로는 다양한 사이버 공격을 막을 수 없다. 예를 들면 멀웨어를 사용한 공격이나 Dos 공격 등에는 방화벽만으로는 대처할 수 없다.

이 때문에 인타바이러스나 IPS/IDS 와 같은 전용기기가 병용되어 왔다.

이러한 제품을 조합해 방어하는 구조는 관리 대상이 되는 기기가 증가해 운용 관리에 비용 및 시간, 인력 부담이 늘어났다. 특히 보안담당자를 둘 수 없는 중소기업에서는 부담이 컸다.

그래서 UTM(Unified Threat Management) 통합 위협 관리라는 복수의 보안 기능이 탑재된 제품이 등장하였다.

통합위협관리(UTM)는 다양한 보안솔루션을 하나로 묶어 비용을 절감하고 관리의 복잡성을 최소화하며, 복합적인 위협 요소를 효율적으로 방어할 수 있다.

기본적으로 방화벽이 제공될 뿐만 아니라 IPS,안티멀웨어 와

IPSec 과 SSL VPN을 제공해주고 있다.

그리고 웹필터로 원하지 않는 웹 페이지를 차단하는 프로그램으로 회사나 개인이 정한 규정에 어긋나는 웹 페이지의 출처 및 내용을 차단할 수 있다.

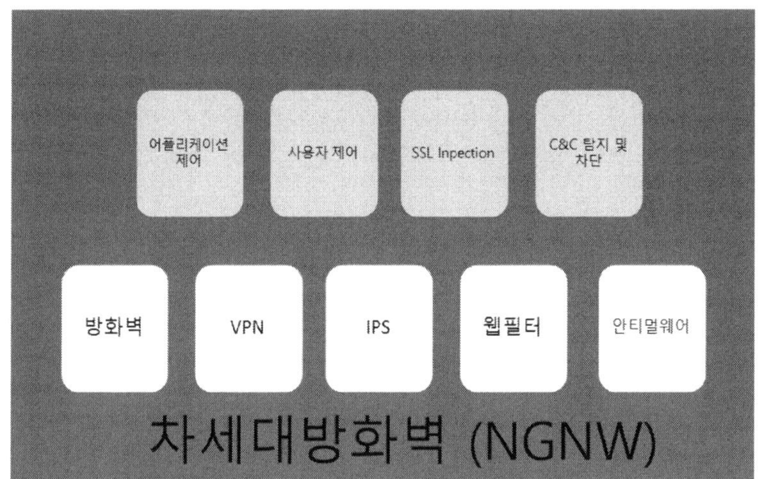

그리고 UTM 다음으로 나온 게 차세대방화벽이다. 2018년에 가트너가 UTM과 차세대 방화벽의 겹치는 점이 너무 많아 UTM도 차세대방화벽이라고 통합해버리긴 했지만, 처음 차세대방화벽의 개념은 UTM의 플러스알파라고 생각하시면 된다.

방화벽은 각 브랜드별로 지원하는 기능이 조금씩 다르기는 하지만 기존에는 IP 별, PC별로 방화벽 정책을 세웠다고 한다면 UTM에서는 애플리케이션별, 유저별 방화벽 정책을 세울 수 있다.

기존의 방화벽은 포트 넘버로만 트래픽을 구분할 수 있었기 때문에 TCP80을 사용하는 모든 트래픽은 모두 차단하거나 허용할 수밖에 없었다. 예를 들면 인터넷 사용은 허용하면서 메신저나 P2P다운로드 트래픽은 차단하고 싶거나, 인터넷 중에서도 유투브,인스타그램 등만 선별적으로 차단하는 보안 정책은 모두 같은 TCP80 포트를 사용하기 때문에 불가능하다.

하지만 차세대방화벽은 카카오톡 같은 메신저, 토렌트 같은 P2P 파일 공유 트래픽을 구분할 수 있다. 그뿐만 아니라 카카오톡 트래픽 중에서도 단순한 채팅 트래픽과 파일을 공유하는 트래픽을 공유할 수 있어서 채팅만 허용하고 파일 전송만 선별적으로 차단하는 제어가 가능하다.

또한 C&C 탐지 및 차단뿐만 아니라 암호화된 트래픽 가시성 확보(SSL Inspection) 기능도 제공해주고 있다.

IPS/IDS

IPS란 Intrusion prevention system의 약자로 침입 방지 시스템의 약자다.

방화벽이 성문을 지키는 병사라고 하면 IPS는 성 내에 검문하는 병사라고 생각하면 편할 것 같다.

IPS는 방화벽을 거쳐서 들어오는 트래픽을 검사하고 악성 트래픽을 탐지 및 차단할 수 있도록 한다.

기존의 방화벽만으로 차단할 수 있는 해킹 공격은 약 30%밖에 되지 않는다.

방화벽이 외부에서 내부로 오는 트래픽에 대한 1차적인 필터 역할을 한다고 하면 IPS는 방화벽 뒤에서 내부 네트워크에 대한 악성 트래픽을 탐지 및 차단 할 수 있다.

IPS는 시그니처 기반으로 인입된 트래픽에 대해서 탐지 및 차단하기 때문에 보안을 한층 강화할 수 있다.

그리고 방화벽은 패킷 필터링이고 IPS는 위협을 탐지하기 때문에 역할이 다르다.

또한 IPS로 침입에 대해 실시간으로 차단할 수 있으며, IDS 모드로 탐지만 할 수 있다.

IPS에서 CVE 코드(공개 취약성 및 노출)는 공격 시그니처나 패턴을 식별 및 차단하는 데 사용된다.

따라서 IPS에서 CVE코드를 사용하여 취약점에 대해 효과적으로 관리할 수 있다.

Network IPS & Host IPS

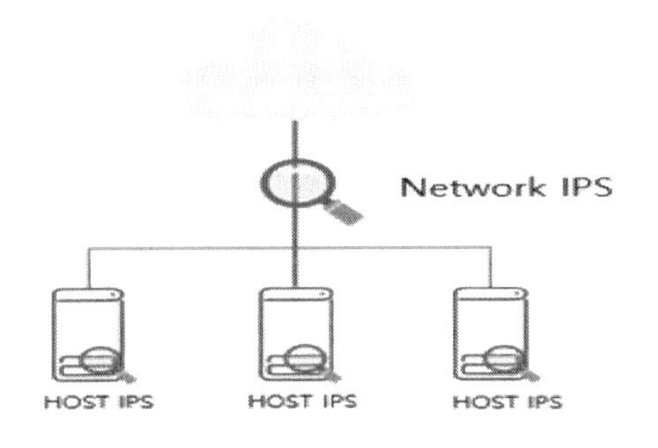

내용	Host IPS	Network IPS
적용방식	에이전트	H/W,S/W
인스턴스 간 공격	내부 간 방어	외부, 내부 간 방어
성능 영향	호스트별 필요한 시그니처 적용	네트워크 Layer 단에서 모든 시그니처를 포함
오 탐 영향	오탐 발생 시 적용한 호스트만 영향	전체 대상으로 영향

IPS는 Host IPS와 Network IPS로 나뉜다.

Network IPS는 네트워크 레이어 단에 위치해서 내부 네트워크에 대한 트래픽을 탐지, 차단한다.

하나의 포인트에서 관리하고 지나가는 트래픽에 대해서 모든 시그니처를 포함 적용한다.

하지만 오탐이 생기면 전체 서버를 대상으로 문제가 생길 수 있다.

Host IPS는 각각의 호스트에 설치가 되어 호스트로 인입되는 트래픽에 대해서만 탐지,차단을 한다. 호스트에 필요한 추천 시그니처만을 할당받을 수 있고 컨테이너 탐지 도 할 수 있다.

하지만 여러 호스트를 관리해야 해서 중간의 매니저프로그램이 필요한 일도 있다.

Network IPS와 Host IPS는 상호 보완적이기 때문에 고객 상황에 맞춰 동시에 사용할 수 있다. 만약 민감한 정보가 있는 호스트면 Network IPS와 Host IPS를 병행해서 쓸 수 있고 그렇지 않으면 Network IPS만 사용할 수 있다.

Firewall & IPS 구성도

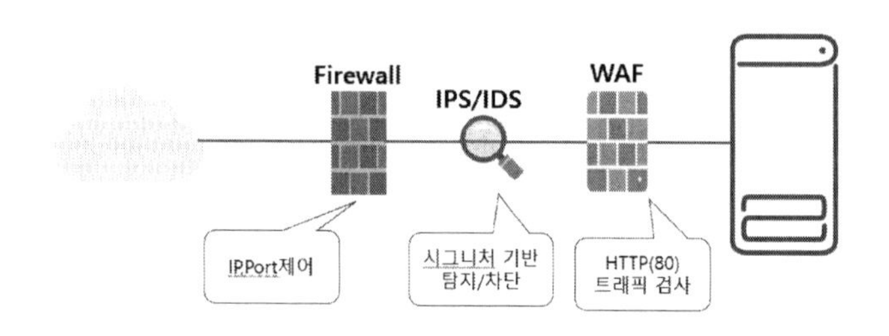

이렇게 외부에서 내부로 트래픽이 발생하면

1차적으로 Firewall에서 IP 와 Port를 기반으로 악성 트래픽을 필터링을 한다.

그리고 2차적으로 인입된 트래픽에 대해 IPS가 시그니처 기반으로 악성 트래픽을 차단시킨다.

그리고 보호해야 할 대상이 웹서버일 경우 3차적으로 http(80) 프로토콜을 베이스로하는 취약점 공격을 탐지 및 차단 할 수 있다.

방화벽과 IPS 그리고 WAF는 서로의 대체재가 아닌 좀 더 견고

한 보안을 위해 필요한 상호 보완적인 제품이다.

가트너에서 정의한 클라우드 보안의 종류에는 여러 가지가 있다. 그중 대표적인 CSPM,CWPP,CNAPP,CIEM에 대해서 간략히 알아 보겠다.

CSPM (Cloud Security Posture Management)

CSPM은 클라우드 환경에서의 보안 자산과 정책을 관리하고 모니터링하는 솔루션클라우드 리소스의 보안 규정 준수를 유지하기 위해 사용한다.

CWPP (Cloud Workload Protection Platform)

CWPP는 클라우드 환경에서의 워크로드를 보호하는 플랫폼. 클라우드에서 실행되는 워크로드를 식별 및 악성 코드 탐지, 취약점 관리 등을 통해 워크로드의 보안을 유지한다.

CNAPP (Cloud Native Application Protection Platform)

CNAPP는 클라우드 네이티브 애플리케이션을 보호하기 위한 플랫폼이다. 클라우드 환경에서 실행되는 웹 애플리케이션 및 마이크로서비스를 보호하기 솔루션이다.

CIEM (Cloud Infrastructure Entitlement Management)

CIEM은 클라우드 인프라에서의 권한과 규정을 관리하는 플랫폼이다. CIEM은 클라우드 리소스에 대한 액세스 및 권한을 모니터링 및 규정 준수를 유지하기 위해 사용한다.

네트워크 보안 관련 용어

Syslog(System Logging Protocol)

유닉스/리눅스에서 사용하는 일종의 '로그생성/관리'도구

장비에서 일어나는 모든 상황,변화를 서버에 기록하는 프로토콜

SNMP(Simple Network Management Protocol)

SNMP는 네트워크 장치 및 시스템의 상태 및 구성 정보를 모니터링하고 관리하기 위한 프로토콜

네트워크 장치의 CPU 사용률, 메모리 사용량, 대역폭 사용량 등과 같은 상태 정보를 수집

Playbook

가이드라인을 포함하는 문서

XFF(X-Forwarded-For)

http 서버에 요청한 클라이언트 ip를 식별하기 위한 표준

에이전트

에이전트는 컴퓨터 시스템이나 네트워크에서 특정 작업이나 모니터링을 자동으로 수행하도록 설계된 소프트웨어 프로그램이며, 주로 보안, 모니터링, 자동화 등의 기능을 수행

호스트스윕, 포트스캔

호스트 스윕은 네트워크 상에 존재하는 호스트를 식별하는 과

정이고, 포트 스캔은 특정 호스트의 오픈된 포트를 검사하여 서비스나 서버에 접근 가능한지 확인하는 과정

SIEM

기업내에 보호가 필요한 모든 기기, 네트워크 장비들이 남기는 로그를 수집. 로그를 분석 -> 위협정보를 관리자 서버에 통보 및 차단

커널모드와 유저모드

커널모드: 운영체제의 핵심 부분인 커널이 실행되는 모드. 모든 자원에 접근 가능

유저모드: 사용자가 실행하는 응용프로그램이나 사용자 코드가 실행되는 모드

SWAP

시스템에 메모리가 부족할 때 하드디스크 공간을 할당하여 작업을 도와주는 영역

Snort/ PCRE / Yara

Snort: 오픈소스 기반 IDS. 시스코가 가지고 있다.

PCRE: Snort에서 지원하는 PCRE옵션이라고 생각하면 된다.

문자열에서 패턴을 검색하거나 매칭시키는 데 사용된다.

YARA:악성 코드나 악성 파일 패턴을 식별하는 데 사용되는 패턴 매칭 도구이다.

데몬

리눅스 서버 프로세스로 시스템이 살아 있는 동안 실행되는 백그라운드 프로세스

데몬셋

쿠버네티스에서 사용되는 배포 유형. 모든 노드에서 동일한 서비스나 데몬을 구동하는 데 사용.

파라미터

파라미터는 함수나 명령어에 전달되는 값으로, 해당 함수나 명령어의 동작을 조절하거나 데이터를 처리하는 데 사용.

APT(Advanced Persistent Threat)

고도로 정교하고 지속적인 공격으로, 장기간 조용히 정보를 수집하거나 시스템을 침해하는 공격 형태를 의미

CVE

MITRE가 주관하는 정보보안 취약점 표준코드

DevSecOps

개발과 보안 및 운영의 프로세스와 도구를 통합하여 소프트웨어 제공 속도와 보안성을 향상하는 방법론

NAC (Network Access Control)

MAC 주소 기반으로 접근 제어 및 인증 수행

NAC는 등록된 MAC 주소만 네트워크에 접속할 수 있게 허용

IP 관리 시스템에 네트워크에 대한 통제를 강화한 것.

해시(Hash)

입력 데이터를 고정된 크기의 고유한 값으로 변환하는 알고리즘을 적용하여 생성된 값 데이터를 줄여서 고유한 값으로 표현

메타데이터

데이터에 대한 설명이나 데이터 자체를 다루는 데이터

데이터의 특성, 속성 또는 구조에 대한 정보를 제공

데이터에 색인

베스천서버

보안을 강화하기 위해 외부와 내부 네트워크 간의 중계 역할을 하는 서버. 관리자가 베스천서버를 통해 Private Subnet의 WAS , DB로 접근 가능

외부 -> 내부 (베스천)

내부 -> 외부 (NAT)

데이터싱크

데이터 싱크는 데이터를 수신하고 저장하는 장치나 시스템을 의미 Ex) 데이터베이스, 파일 시스템, 웹서버 등

디커플링

두 개 이상의 시스템이나 변수가 서로 영향을 미치다가 그 연결을 끊는 것. 소프트웨어나 시스템에서 모듈 간 결합도를 낮추는 것.

Splite tunnerling VPN

스플릿 터널링은 VPN연결을 설정할 때 사용되는 네트워크 구성 방법 중 하나. 이 방법은 VPN 터널을 통해 보완된 연결을 유지하면서, 일부 트래픽은 VPN을 통과시키지 않고 인터넷에

직접 전달하는 것을 의미.

VoIP(Voice over Internet Protocol)

VoIP(Voice over Internet Protocol)은 음성 통화를 위한 통신 프로토콜이다. VoIP 시스템에서 음성 통화를 설정하고 관리하는 데 사용.

DPD (Dead Peer Detiction)

DPD는 VPN에서 사용되는 네트워크 프로토콜 중 하나. DPD는 VPN 연결이 정상적으로 작동하는지 감지하며, 연결이 끊어졌을 때 연결을 재설정하는 기능제공

라우터모드&브리지모드

라우터는 네트워크에서 데이터 패킷을 전송하는 역할을 한다.

라우터 모드 (Layer 3)에서 동작하며, 라우팅 테이블을 사용하여 패킷을 전송할 경로를 결정.

브리지 모드는 (Layer 2)에서 동작하며, 네트워크에서 서로 다른 세그먼트를 연결함. 동일 네트워크 안에서 패킷을 전송.

One-armed 환경

모든 네트워크 트래픽이 해당 장비를 거치지 않고, 특정한 경우에 대해서만 처리될 수 있도록 하는 네트워크 구성 방식

한쪽 팔을 펴고 있는 것처럼 장비를 배치하기 때문에 원암 구성이라고 한다.

동기식과 비동기식

동기식: 요청을 보낸 후 해당 요청의 응답을 받아야 다음 동작을 실행

비동기식: 요청을 보낸 후 응답과 관계없이 다음 동작을 실행

마운트

어떠한 것을 Available 한 상태로 준비하는 것

어떤 장치를 시스템에 연결하여 시스템에서 사용할 수 있게 하는 것

트러블슈팅

문제 해결. 시스템에서 발생하는 복잡한 문제들을 종합적으로 진단해 해결하는 것